AULA 4

CURSO DE ESPAÑOL NUEVA EDICIÓN

Autores: Jaime Corpas, Agustín Garmendia, Carmen Soriano

Coordinación pedagógica: Neus Sans

Coordinación editorial y redacción: Núria Murillo, Paco Riera

Diseño: Besada+Cukar

Maquetación: Besada+Cukar, Guillermo Bejarano

Corrección: Carmen Aranda

Ilustraciones: Alejandro Milà
excepto: Roger Zanni (págs.14, 86, 89, 109 y 148), Enrique López Lorenzana (págs. 46 y 126), Ernesto Rodríguez (págs. IX y X), Núria Frago (pág. 44), Paco Riera (pág. 30)

Fotografías: **MI AGENDA EN ESPAÑA** pág. IV Rodrigo Gómez Sanz /Flickr, celiafoto/Fotolia, yosoynuts/Flickr, lunamarina/Fotolia, pág. V nicolehofmann/Istockphoto; **unidad 1** pág. 10 venimo/Fotolia, agsandrew/Istockphoto, pág. 11 razihusin/Istockphoto, olly/Fotolia, MSRPhoto/Istockphoto, alvarez/Istockphoto, tankist276/Istockphoto, ArtmannWitte/Istockphoto, kaisersosa67/Istockphoto, simas2/Photaki, pág. 12 Celina Bordino, pág. 13 Jörg Hackemann/Fotolia, ianmcdonnell/Istockphoto, GavinD/Istockphoto, pág. 16 Cristian Castellana, pág. 18 Celina Bordino, pág. 19 exdez/Istockphoto, NZswissmedia/Istockphoto, pág. 20 www.bekia.es, www.kilianjornet.cat, pág. 21 www.four-magazine.com; **unidad 2** pág. 22 A Syn/Flickr, EdStock/Istockphoto, pág. 23 Cristian Marin/Dreamstime, Arturo Limon/Dreamstime, Paco Ayala/Photaki, pág. 25 blueskybcn/Istockphoto, EduardoLuzzatti/Istockphoto, Marco Manieri/Dreamstime, pág. 26 Celina Bordino, pág. 27 jorge franco hoyos/Photaki, pág. 28 Alberto Loyo/Photaki, pág. 31 Pepe Colsa/Photaki, pág. 32 www.fotografiaencurs.org, pág. 33 www.trotta.es; **unidad 3** pág. 34 McKay Savage/Flickr, www.colombia.travel, pág. 35 Tijs Zwinkels/Flickr, kozumel/Flickr, CIAT Centro Internacional de Agricultura Tropical/Flickr, Irene Serrano/Flickr, pág. 36 Jakobradlgruber/Dreamstime, Slava296/Dreamstime, pág. 37 www.docstoc.com, Rawpixel/Istockphoto, dolve/Istockphoto, onikum/Istockphoto, Rawpixel/Istockphoto, Chrismatos/Flickr, pág. 38 PLBernier/Istockphoto, pág. 39 Celina Bordino, .Luc./Flickr, www.tasteofargentina.com, McKay Savage/Flickr, Ruth L/Flickr, pág. 42 www.elperiodicodearagon.com, pág. 43 Priscila/Flickr, ANGELOUX/Flickr, kmulleroo/Flickr, Alfredo Miguel Romero/Flickr, pág. 44 www.anagrama-ed.es/, www.kint.com; **unidad 4** pág. 48 Kota, Darko64/Dreamstime, pág. 52 Zedcreations/Dreamstime, Perfume316/Dreamstime, Milacroft/Dreamstime, onikum/Istockphoto, Goodshoot/Thinkstock, pág. 54 Juanmonino/Istockphoto, pág. 56 GeorgeDolgikh/Thinkstock, www.alfaguara.com/es/; **unidad 5** pág. 58 W Worldwide/Flickr, pág. 60 Martín Azúa, pág. 61 www.archiproducts.com, www.ahorrototal.com, Dio5050/Dreamstime, gawriloff/Fotolia, gavran333/Fotolia, EuToch/Istockphoto, Africa Studio/Fotolia, pág. 63 www.diariofemenino.com, www.notitarde.com , www.cosasdemujeres.com.uy, pág. 64 Smaglov/Istockphoto, www.losblogsdemaria.com/, www.ibilimenaje.com, pág. 66 www.nuevodiarioweb.com.ar, luxpresso.com, www.positive-magazine.com, www.diariofemenino.com, Yap Kee Chan/Dreamstime, pág. 68 www.recursosacademicos.net, www.pedrocurto.com, www.fountainpennetwork.com, domin_domin/Istockphoto, www.aztecatrends.com, gbrundin/Istockphoto, pág. 69 Lasse Kristensen/Photaki, www.3tres3.com, Rosane Marinho/Wikimedia Commons; **unidad 6** pág. 70 Daniel Ormad/Photaki, youngvet/Istockphoto, william87/Fotolia, www.alcampo.es, pág. 71 www.urbanrulesbcn.com, www.eatwith.com, www.ecoalf.com, pág. 72 SAGARPA/Flickr, www.azurmendi.biz, pág. 73 Ferran Cerdans Serra/Flickr, pág. 74 Celina Bordino, pág. 75 Celina Bordino, pág. 76 Gorka Valencia/Flickr, Nauris Haritonovs/Istockphoto, www.circulaseguro.com, zothen/Istockphoto, pág. 79 www.ecoal2.com, Alpha/Flickr, www.alicanteactualidad.com, Steve Estvanik/Dreamstime, pág. 80 www.smartscities.com, Alberto Loyo/Photaki, Alberto Loyo/Photaki, pág. 81 www.portalviajar.com, Alberto Loyo/Photaki; **unidad 7** pág. 82 www.fotogramas.es, www.revistavanityfair.es, www.motorpress-iberica.es, www.esquire.es, pág. 83 www.micasarevista.com, www.mujeresreales.es/, Fernando Gregory/Dreamstime, Andrew Ostrovsky/Photaki, pág. 84 Danilo Mongiello/Dreamstime, Tr3gi/Dreamstime, pág. 85 Cristian Castellana, www.srugulo.info, pág. 87 Dave Kiddy/Flickr, pág. 88 kupicoo/Istockphoto, pág. 90 Peter Hamza, vcstimeless/Istockphoto, David Schiersner/Flickr, duncan1890/Istockphoto, pág. 91 Anastasiia-Ku/Istockphoto, MaryLB/Istockphoto, MaryLB/Istockphoto, marrishuanna/Istockphoto, pág. 92 www.gallerie-arte.it, Salvador Dalí/www.wikipaintings.org, pág. 93 Frida Kahlo/www.wikipaintings.org, www.knowthecountry.org; **unidad 8** pág. 94 Goncharuk Maksym/Dreamstime, Jelen80/Dreamstime , Maksym Protsenko/Dreamstime, pág. 95 Stockvision/Dreamstime, Yury Shirokov/Dreamstime, Exopixel/Dreamstime, pág. 97 eurobanks/Istockphoto, Juanmonino/Istockphoto, Wwyloeck/Istockphoto, pág. 99 Yuri_Arcurs/Istockphoto, pág. 102 Celina Bordino, pág. 103 Monkey Business Images/Dreamstime, pág. 104 marcovarro/Istockphoto, www.diariodesign.com; **MÁS EJERCICIOS** pág. 116 smorrish/Istockphoto, pág. 123 www.raspas.com.br, pág. 127 Jamie Harris, pág. 130 Dmytro Konstantynov/Istockphoto, pág. 132 Jaume Meneses/Flickr, Luis García/Wikimedia Commons, themaisonette.net, pág. 135 ibphoto/Fotolia, Nolight/Fotolia, kornienko/Fotolia, Victor Georgiev/Istockphoto, Adam Ciesielski, pág. 136 Dainis Derics/Dreamstime, Baikonur/Wikimedia Commons, Oronoz/COVER, pág. 138 Jordi Delgado/Istockphoto, Aerogondo/Istockphoto, pág. 139 Celina Bordino, pág. 144 Arian Zwegers/Wikimedia Commons,

Locuciones: Sergi Bautista, Antonio Béjar, Celina Bordino, Iñaki Calvo, Cristina Carrasco, Barbara Ceruti, César Chamorro, Mª Isabel Cruz, Nohelia Díaz Villarreal, Agustín Garmendia, Pablo Garrido, Olatz Larrea, Eva Llorens, Lynne Martí, Caro Miranda, Carmen Mora, Edith Moreno, Lourdes Muñiz, Núria Murillo, Jorge Peña, Javier Príncep, Paco Riera, Eduard Sancho, Laia Sant, Víctor Torres, Sergio Troitiño

Asesores de la nueva edición: Agnès Berja (BCN Languages Barcelona), José Luis Cavanillas (CLIC Sevilla), Yolanda Domínguez (Universidad de Málaga), Carmen Soriano (International House Barcelona), Beatriz Arribas (Instituto Cervantes de Varsovia), Gemma Linares (Centro de Lenguas de la Universidad de Tubinga), Silvia López y Juan Francisco Urbán (Instituto Cervantes de Orán), Rosana Paz (Universidad de Santiago de Compostela), Asunción Pleite (Estudio Sampere)

Agradecimientos: Pablo Garrido

ISBN: 978-84-15620-83-9
Depósito legal: B 8104-2014
Reimpresión: junio 2018
Impreso en España por Novoprint

C/ Trafalgar, 10, entlo. 1ª
08010 Barcelona
Tel. (+34) 93 268 03 00
Fax (+34) 93 310 33 40
editorial@difusion.com

www.difusion.com

AULA 4

NUEVA EDICIÓN

Jaime Corpas
Agustín Garmendia
Carmen Soriano

Coordinación pedagógica
Neus Sans

¡BIENVENIDOS A LA AVENTURA DE APRENDER ESPAÑOL EN ESPAÑA!

DURANTE LAS PRÓXIMAS SEMANAS VAS A...

aprender muchas palabras nuevas, vas a **leer** textos interesantes, **escuchar** conversaciones, **hacer** actividades, **ver** vídeos...

Y TODO ESTO... ¡EN ESPAÑOL!

PERO, ADEMÁS, VAS A VIVIR UNA AVENTURA PERSONAL:

vas a **conocer** a nuevos compañeros y a profesores, vas a **vivir** en un pueblo o una ciudad española, vas a **visitar** museos, **hacer** excursiones, **ir** a la playa, **comer** en restaurantes o en casas de españoles, **ver** la tele, **escuchar** la radio, **pasear**...

¡APROVECHA PARA HABLAR, LEER, ESCUCHAR Y VIVIR EN ESPAÑOL!

ENGLISH

WELCOME TO THE ADVENTURE OF LEARNING SPANISH IN SPAIN! Over the next few weeks, you are going to learn many new words, read fascinating texts, listen to conversations, take part in activities, watch videos... and all this in Spanish. Yet you are also going on a personal adventure: you are going to meet new classmates and teachers, live in a Spanish town or city, visit museums, take trips, go to the beach, eat at restaurants or local homes, watch the television, listen to the radio, take walks... Use this time to speak, read, listen and live in Spanish! **AULA: YOU ARE THE STAR** Aula Nueva Edición is your manual. Yet what makes it a book specially designed for you? Because it understands that you are in Spain and nowhere else. Because it takes your needs into consideration: you will learn to speak about your likes and dislikes, your life, your world... and all this in Spanish! Because it will help you communicate in Spanish right from the start. Because it will help you better understand the texts, discover grammar and lexicon, find the answers to your questions and build up your knowledge of Spanish.

DEUTSCH

WILLKOMMEN BEI DEM ABENTEUER SPANISCHLERNEN IN SPANIEN! Während der nächsten Wochen werden Sie viele neue Wörter lernen, interessante Texte lesen, Gespräche hören, unterschiedliche Tätigkeiten unternehmen, sich Videos ansehen... und all das auf Spanisch. Sie werden zusätzlich noch ein anderes, ganz persönliches Abenteuer erleben: Sie werden neue Mitschüler kennenlernen, in einem spanischen Ort leben, Museen besichtigen, Ausflüge machen, an den Strand gehen, in Restaurants oder bei Spaniern zu Hause essen, fernsehen, Radio hören, spazieren gehen... Nutzen Sie diese Gelegenheiten, um Spanisch zu sprechen, lesen, hören und zu (er)leben! **AULA: SIE SIND DER PROTAGONIST** Aula Neue Ausgabe ist Ihr Kursbuch, aber: woran erkennt man, dass es speziell für Sie konzipiert wurde? Weil es für den Lerner in Spanien gedacht ist. Weil es Ihre ganz besonderen Bedürfnisse berücksichtigt: Sie lernen, über Ihre eigene Vorlieben, Ihr Leben, Ihre Welt zu sprechen – und zwar auf Spanisch! Weil es Ihnen in den ersten Tagen im neuen Land unter die Arme greift und Ihnen Kommunikationshilfen bietet. Weil es Sie dabei unterstützt, Texte besser zu verstehen, Grammatik und Wortschatz zu entdecken, Antworten auf Ihre Fragen zu finden und Ihre Spanischkenntnisse sinnvoll aufzubauen.

ITALIANO

BENVENUTI NELL'AVVENTURA DELL'APPRENDIMENTO DELLO SPAGNOLO IN SPAGNA! Nelle prossime settimane imparerai molte parole nuove, leggerai testi interessanti, ascolterai conversazioni, svolgerai attività, vedrai video... e tutto questo, in spagnolo. Ma vivrai anche un'avventura personale: conoscerai nuovi compagni e professori, vivrai in un paese o una città spagnola, visiterai musei, farai gite, andrai al mare, mangerai in ristoranti o in casa di spagnoli, guarderai la televisione, ascolterai la radio, farai passeggiate... Approfittane per parlare, leggere, ascoltare e vivere in spagnolo! **AULA: IL PROTAGONISTA SEI TU** Aula Nueva Edición è il tuo manuale, ma... perché è un libro appositamente pensato per te? Perché prende in considerazione il fatto che sei in Spagna e non in un altro luogo. Perché prende in considerazione le tue esigenze: imparerai a parlare dei tuoi gusti, della tua vita, del tuo mondo... e tutto questo, in spagnolo! Perché ti aiuterà a comunicare in spagnolo fin dai primi giorni. Perché ti aiuterà a capire meglio i testi, a scoprire la grammatica e il lessico, a trovare le risposte alle tue domande e a costruire la tua conoscenza dello spagnolo.

FRANÇAIS

BIENVENUS À CETTE AVENTURE : APPRENDRE L'ESPAGNOL EN ESPAGNE ! Au cours des prochaines semaines, vous allez apprendre des mots nouveaux, vous allez lire des textes intéressants, écouter des conversations, faire des activités, voir des vidéos... et tout ça, en espagnol. De plus, vous allez vivre une aventure personnelle : vous allez faire de nouvelles connaissances et connaître des professeurs, vous allez vivre dans un village ou une ville espagnole, vous allez visiter des musées, faire des randonnées, aller à la plage, manger au restaurant ou chez des Espagnols, regarder la télévision, écouter la radio, vous promener...Profitez-en pour parler, lire, écouter et vivre en espagnol ! **AULA : VOUS ÊTES LE PROTAGONISTE** Aula Nueva edición, c'est votre livre d'apprentissage, mais... Pourquoi est-ce un livre tout spécialement conçu pour vous ? Parce qu'il tient compte que vous êtes en Espagne et nulle part ailleurs. Parce qu'il tient compte de vos besoins : vous allez apprendre à parler de ce qui vous plaît, de votre vie, de votre monde... et tout ça, en espagnol ! Parce qu'il va vous aider à communiquer en espagnol dès le début. Parce qu'il va vous aider à mieux comprendre les textes, à découvrir la grammaire et le vocabulaire, à trouver les réponses à vos questions et à construire votre connaissance de l'espagnol.

AULA:
TÚ ERES EL PROTAGONISTA

Aula Nueva edición es tu manual, pero... ¿por qué es un libro especialmente pensado para ti? Porque tiene en cuenta que **estás en España** y no en otro lugar. Porque tiene en cuenta **tus necesidades**: vas a aprender a hablar de **tus gustos**, de **tu vida**, de **tu mundo**... ¡y todo eso en español! Porque te va a ayudar a **comunicarte en español** desde los primeros días. Porque te va ayudar a **entender mejor los textos**, a **descubrir la gramática y el léxico**, a encontrar las respuestas a tus preguntas y a **construir tu conocimiento** del español.

PORTUGUÊS

BEM VINDOS À AVENTURA DE APRENDER ESPANHOL NA ESPANHA! Durante as próximas semanas você irá aprender muitas palavras novas, irá ler textos interessantes, escutar conversações, realizar atividades, ver vídeos... e tudo isso, em espanhol! Mas, além disso, irá viver uma aventura pessoal: irá conhecer novos companheiros e professores, irá viver em um povoado ou uma cidade espanhola, irá visitar museus, fazer excursões, ir à praia, comer em restaurantes ou em casas de espanhóis, ver televisão, escutar rádio, passear... Aproveite para falar, ler, escutar e viver em espanhol! **AULA: VOCÊ É O PROTAGONISTA** Aula Nueva edición é seu manual, mas... por que é um livro especialmente pensado para você? Porque leva em consideração que você está na Espanha e não em outro lugar. Porque considera suas necessidades: você irá aprender a falar de seus gostos, sua vida, seu mundo... ! E tudo isso em espanhol! Porque irá ajudar você a se comunicar em espanhol desde os primeiros dias. Porque te ajudará a entender melhor os textos, a descobrir a gramática e o léxico, a encontrar as respostas para suas perguntas e a construir seu conhecimento do espanhol.

日本の

皆さんスペインへようこそ、そしてスペイン語を学ぶ冒険へようこそ！！ これからの数週間、新しい言葉を覚えていくことになります。大変おもしろいスペイン語の原文などを読んでいきます。彼らのはなす会話を聞き、いろいろな活動を行い、ビデオも全てスペイン語の原文です。これらの学習以外に、この期間はあなな自身にとっての貴重な経験になることでしょう。新しいクラスメートや先生を知ること、スペインの村や町に住むこと、また美術館などを訪れること、そして遠足などにも出かけること、すべてが貴重な経験となることでしょう。そして海へ行ったり、レストランやスペイン人の家庭で食事をしたり、テレビを見たり、ラジオを聞いたり、散歩などをすること、大きな経験です。スペイン語で話したり、聞いたりすることを有効に活用しましょう！ AULAでは、あなたが主人公です。AULA NUEVAは、あなたが外国語を学ぶためのマニュアルになります。何故あなたに適切な本かといえば、あなたがスペインにいることを前提にしているからです。他国にいることでの必要性を考慮しています。スペイン語で自分の趣味を語れるようになり、そして自分の人生について語れるようになり、同時に自分の世界について語れるようになります。はじめからスペイン語でコミュニケーションできるようになります。文章をよりよく理解出来るようにヘルプします。文法や言葉をより簡単に理解する事が出来るでしょう。そして、疑問に思った事などに対して、回答を見つけることが出来、スペイン語に対しての知識を増やすことが可能になります。

РУССКИЙ

ДОБРО ПОЖАЛОВАТЬ, СЕЙЧАС НАЧНЕТСЯ ТВОЕ ПРИКЛЮЧЕНИЕ, ТЫ БУДЕШЬ УЧИТЬ ИСПАНСКИЙ В ИСПАНИИ! В ближайшие недели ты выучишь много новых слов, будешь читать интересные тексты, слушать диалоги, выполнять разные задания, смотреть видео… и все это по-испански. Но еще это будет твое личное приключение: ты познакомишься с другими студентами и преподавателями, поживешь в испанском городе, будешь ходить в музеи и на экскурсии, отдыхать на пляже, есть в ресторанах или дома у испанцев, смотреть телевизор, слушать радио, гулять… Пользуйся возможностью говорить, читать, слушать и жить по-испански! AULA: ТЫ - ГЛАВНОЕ ДЕЙСТВУЮЩЕЕ ЛИЦО Aula Nueva edición - это твой учебник… но почему это учебник именно для тебя? Потому что он учитывает, что ты находишься в Испании, а не в другом месте. Потому что в нем есть то, что нужно именно тебе: ты научишься говорить о том, что тебе нравится, о своей жизни, о своем мире… и все это по-испански! Потому что он поможет тебе общаться по-испански с первого дня. Потому что он поможет тебе лучше понимать тексты, познакомиться с грамматикой и лексикой, найти ответы на твои вопросы и выучить испанский язык.

中国的

欢迎大家来到学习西班牙语的冒险殿堂！ 在未来几周的时间里。你会学到许多新词，也会读到一些有趣的文章，聆听对话，做活动，观看视频等...所有这些活动都是以西班牙语来进行。但是除此之外，你还会开启一个生活历险记：你会遇到新的同学和老师，你将生活在西班牙的小村小镇或是城里，你也会有机会参观博物馆，郊游，到海边走走，在餐馆吃饭或是拜访西班牙朋友的家里，看电视，听收音机，散步等...你将借着这些机会在西班牙生活，练习说西班牙语，阅读，以及聆听西班牙语！ 课堂：你是主角 新版的¨课堂¨一书是你语言学习的实用手册。然而，为什么我们会说这是一本为你量身定制的语言手册呢？因为你现在正在西班牙，而不是别的地方。还有这本书考虑到你的需求：你将会学习到如何表达你的嗜好，你的生活，你周遭的一切等等...所有这些活动和内容都是以西班牙语表达！因为我们会帮助你从一开始上课的前几天就学会以西班牙语来对外沟通。 因为只有这样才会帮助你更好地理解课文，发现语法和词汇的世界，寻找问题的答案，并借以逐步建立自己的西班牙语知识。

YO EN ESPAÑA

MI DIARIO

Escribe cómo ha sido
tu llegada a España.

MIS DATOS EN ESPAÑA

Mi dirección: ....

Mi escuela

Nombre: ....

Dirección: ....

Teléfono: .... Página web: ....

Correo electrónico ....

Mi clase

Nombre/s de mi/s profesor/es: ....

Mi horario:

	LUNES	MARTES	MIÉRCOLES	JUEVES	VIERNES	SÁBADO	DOMINGO
MAÑANA							
MEDIODÍA							
TARDE							

MIS COMPAÑEROS Y MIS AMIGOS EN ESPAÑA

Anota la información de tus compañeros de clase y de otras personas que conozcas en España.

NOMBRE	TELÉFONO	CORREO ELECTRÓNICO

LO QUE QUIERO HACER EN ESPAÑA

He venido para:

Quiero aprender español porque:

En clase quiero:

En España, tengo muchas ganas de:

UNA WEB PARA APRENDER MÁS

CAMPUS.DIFUSION.COM

MI DIARIO EN ESPAÑA

DE VUELTA A CASA

Llega el momento de volver a casa. Completa.

Mi estancia en España ha sido:

un color: ....

una persona: ....

un momento especial: ....

una canción: ....

una palabra / expresión: ....

MIS DESCUBRIMIENTOS

Libros que he leído:

Películas que he visto:

Museos que he visitado:

Excursiones / viajes que he hecho:

Conciertos a los que he ido:

Palabras que he aprendido en la calle:

Platos nuevos que he probado:

Los mejores bares a los que he ido:

Lugares que me han gustado:

Personas interesantes que he conocido:

MIS PROGRESOS EN ESPAÑOL

¿Estás satisfecho/-a con tus progresos? ¿Por qué?

¿En qué crees que has mejorado más?

¿En qué crees que tienes que mejorar aún? ¿Qué vas a hacer para lograrlo?

MIS EXPERIENCIAS

Pega aquí las fotos más representativas de tu estancia en España y escribe unas líneas explicando las experiencias que has vivido.

CÓMO ES
AULA NUEVA EDICIÓN

Recursos gratis para estudiantes y profesores
campus difusión

Aula nació con la ilusión de ofrecer una herramienta moderna, eficaz y manejable con la que llevar al aula de español los enfoques comunicativos más avanzados. La respuesta fue muy favorable: miles de profesores han confiado en este manual y muchos cientos de miles de alumnos lo han usado en todo el mundo. **Aula Nueva edición** es una rigurosa actualización de esa propuesta: un manual que mantiene el espíritu inicial, pero que recoge las sugerencias de los usuarios, que renueva su lenguaje gráfico y que incorpora las nuevas tecnologías de la información. Gracias por seguir confiando en nosotros.

5 DE DISEÑO

EN ESTA UNIDAD VAMOS A DISEÑAR UN OBJETO QUE SOLUCIONE UN PROBLEMA DE LA VIDA COTIDIANA

RECURSOS COMUNICATIVOS
- describir las características y el funcionamiento de algo
- opinar sobre objetos

RECURSOS GRAMATICALES
- los superlativos en **ísimo/-a/-os/-as**
- algunos modificadores del adjetivo: **excesivamente**, **demasiado**...
- las frases exclamativas: **¡qué...!**, **¡qué... tan/más...!**
- las frases relativas con preposición
- uso del indicativo y del subjuntivo en frases relativas

RECURSOS LÉXICOS
- vocabulario para describir objetos (formas, materiales...)
- vocabulario para valorar el diseño de objetos

EMPEZAR

1. UN HOTEL EN PUERTO RICO P. 132, EJ. 1

Mira el reportaje y lee estos comentarios que han hecho algunas personas sobre el diseño de Patricia Urquiola. ¿Estás de acuerdo con lo que dicen?

Lucas: "Yo lo veo demasiado lujoso. Además, hay demasiados colores. No sé, no me acaba de convencer."

Aída: "¡Qué hotel más bonito! ¡Me encantan las lámparas y las sillas! Es realmente una maravilla."

Carla: "Es bonito, pero francamente, no me parece nada especial. Y seguro que es carísimo."

Ricardo: "Me parece que hay un equilibrio entre tradición y modernidad, entre lujo y sencillez."

PARA COMUNICAR
Yo también / Yo no lo veo muy / tan lujoso...
Para mí también / no es lujoso...
A mí también me parece bonito / una maravilla...
A mí tampoco me convence / me parece bonito...

- *Yo estoy de acuerdo con Lucas. A mí me parece que hay demasiados colores.*
- *Pues yo lo encuentro muy alegre.*

58 | cincuenta y ocho

Patricia Urquiola diseña los interiores del hotel W Hotels Retreat & Spa en Vieques Island (Puerto Rico)
Una de las terrazas
Detalle de la habitación
La piscina con vistas al mar
Recepción del hotel

cincuenta y nueve | 59

EMPEZAR

En esta primera doble página de la unidad se explica qué tarea van a realizar los estudiantes y qué recursos comunicativos, gramaticales y léxicos van a incorporar. Los alumnos entran en la temática de la unidad con una actividad que les ayuda a activar sus conocimientos previos y les permite tomar contacto con el léxico de la unidad.

COMPRENDER

En esta doble página se presentan textos y documentos muy variados (páginas web, correos electrónicos, artículos periodísticos, folletos, tests, anuncios, etc.) que contextualizan los contenidos lingüísticos y comunicativos básicos de la unidad. Frente a ellos, los estudiantes desarrollan fundamentalmente actividades de comprensión.

Este icono indica en qué actividades hay un **documento auditivo**.

27-32

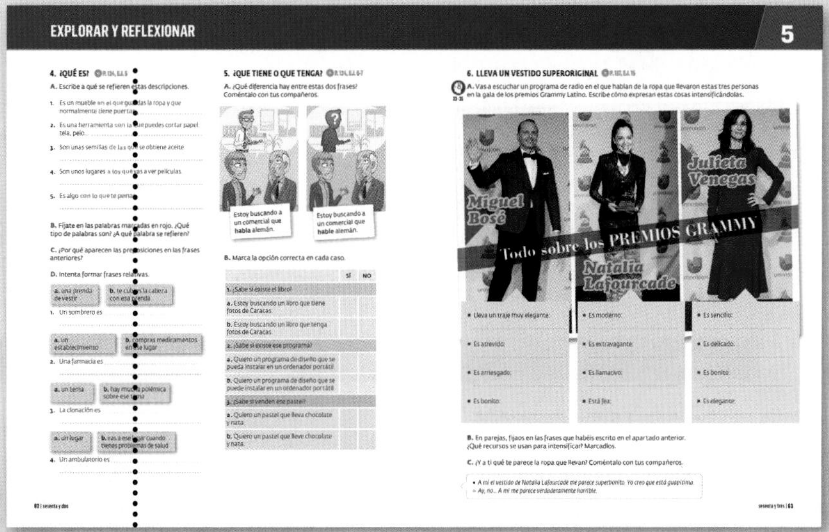

EXPLORAR Y REFLEXIONAR

En estas cuatro páginas los estudiantes realizan un trabajo activo de observación de la lengua –a partir de muestras o de pequeños corpus– y practican de forma guiada lo aprendido.

Los estudiantes descubren así el funcionamiento de la lengua en sus diferentes niveles (morfológico, léxico, funcional, discursivo, etc.) y refuerzan su conocimiento explícito de la gramática.

Esta referencia indica qué ejercicios de la sección *Más ejercicios* están más relacionados con cada actividad.

En la última página de esta sección se presentan esquemas gramaticales y funcionales a modo de consulta. Con ellos se persigue la claridad, sin renunciar a una aproximación comunicativa y de uso a la gramática.

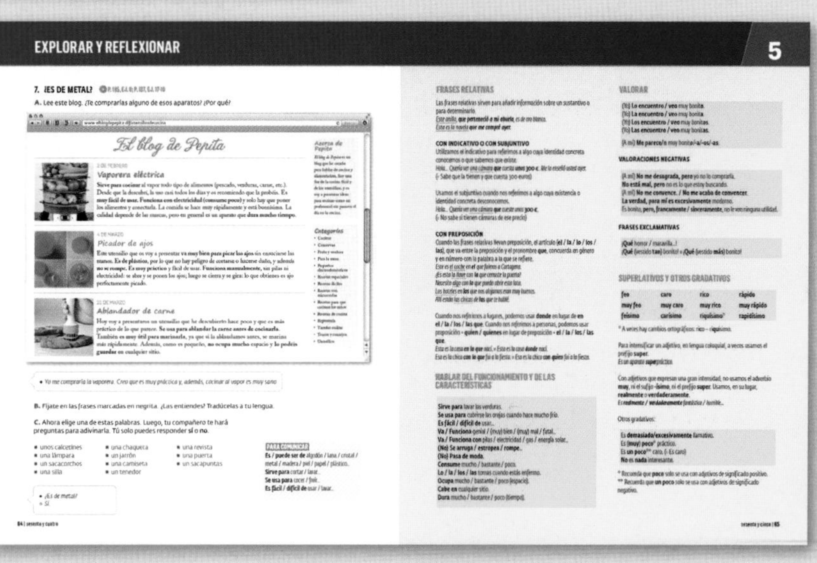

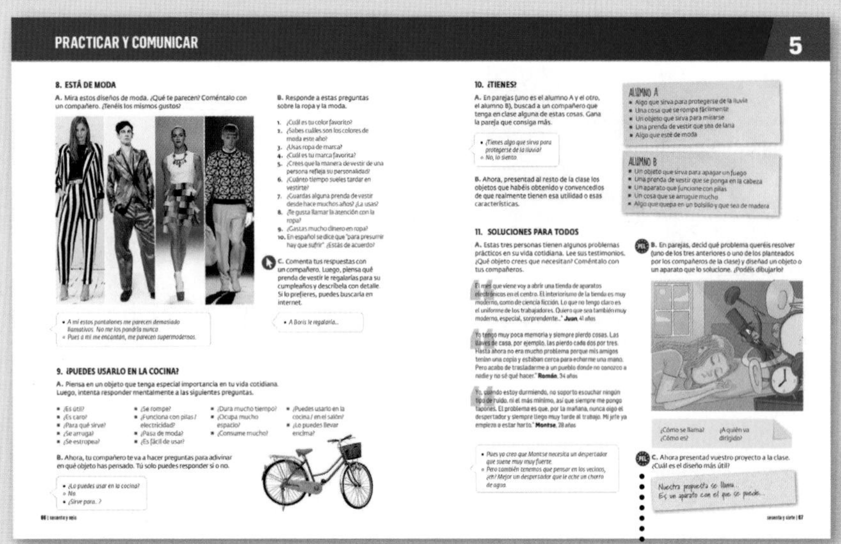

PRACTICAR Y COMUNICAR 5

8. ESTÁ DE MODA

A. Mira estos diseños de moda. ¿Qué te parecen? Coméntalo con un compañero. ¿Tenéis los mismos gustos?

B. Responde a estas preguntas sobre la ropa y la moda.

9. ¿PUEDES USARLO EN LA COCINA?

10. ¿TIENES?

ALUMNO A

ALUMNO B

11. SOLUCIONES PARA TODOS

PRACTICAR Y COMUNICAR

Esta sección está dedicada a la práctica lingüística y comunicativa, e incluye propuestas de trabajo muy variadas.

El objetivo es que los estudiantes experimenten el funcionamiento de la lengua a través de microtareas comunicativas en las que se practican los contenidos presentados en la unidad. Muchas de las actividades están basadas en la experiencia del alumno: sus observaciones y su percepción del entorno se convierten en material de reflexión intercultural y en un potente estímulo para la interacción comunicativa en el aula. Al final de esta sección, se proponen una o varias tareas que implican diversas destrezas y que se concretan en un producto final escrito u oral que el estudiante puede incorporar al Portfolio.

Este icono indica algunas actividades que podrían ser incorporadas al **portfolio** del estudiante.

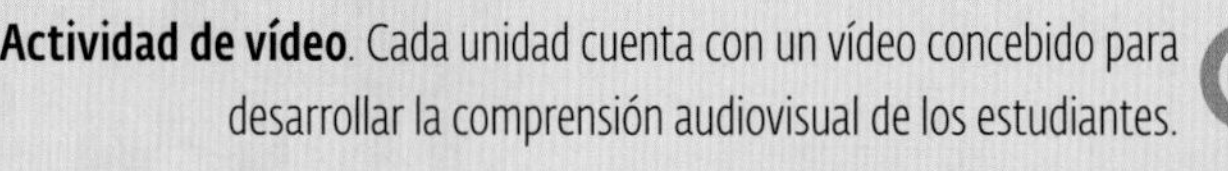

Actividad de vídeo. Cada unidad cuenta con un vídeo concebido para desarrollar la comprensión audiovisual de los estudiantes.

VIAJAR

La última sección de cada unidad incluye materiales que ayudan al alumno a comprender mejor la realidad cotidiana y cultural de los países de habla hispana.

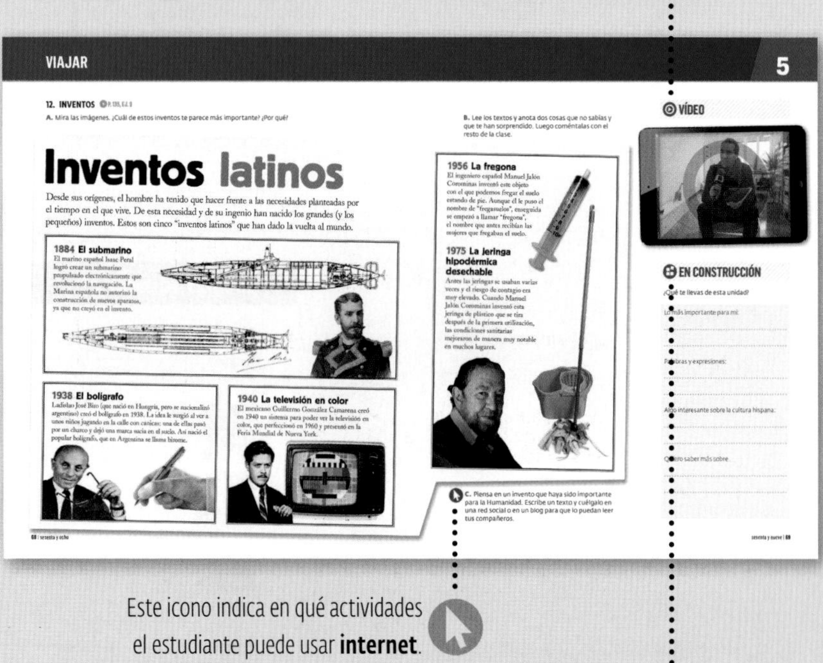

VIAJAR 5

12. INVENTOS

A. Mira las imágenes. ¿Cuál de estos inventos te parece más importante? ¿Por qué?

Inventos latinos

Desde sus orígenes, el hombre ha tenido que hacer frente a las necesidades planteadas por el tiempo en el que vive. De esta necesidad y de su ingenio han nacido los grandes (y los pequeños) inventos. Estos son cinco "inventos latinos" que han dado la vuelta al mundo.

1884 El submarino

1938 El bolígrafo

1940 La televisión en color

1956 La fregona

1975 La jeringa hipodérmica desechable

VÍDEO

EN CONSTRUCCIÓN

Este icono indica en qué actividades el estudiante puede usar **internet**.

En construcción. Actividad final de reflexión en la que el estudiante recoge lo más importante de la unidad.

El libro se completa con las siguientes secciones:

MÁS EJERCICIOS

Seis páginas de ejercicios por unidad. En este apartado se proponen nuevas actividades de práctica formal que estimulan la fijación de los aspectos lingüísticos de la unidad. Los ejercicios están diseñados de modo que los alumnos los puedan realizar de forma autónoma, aunque también se pueden utilizar en la clase para ejercitar aspectos gramaticales y léxicos de la secuencia.

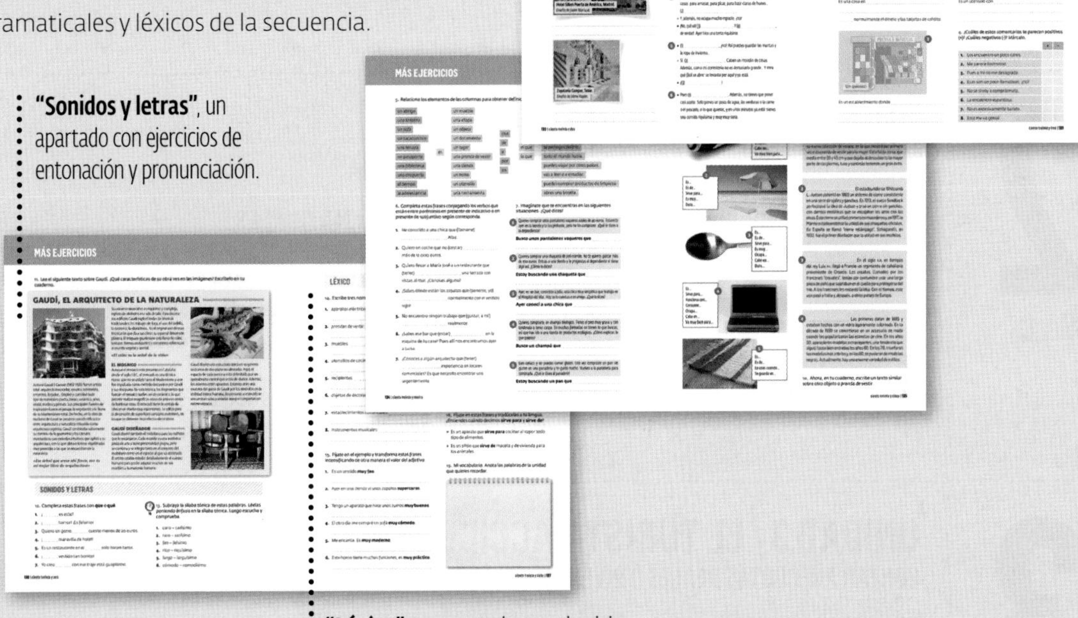

"Sonidos y letras", un apartado con ejercicios de entonación y pronunciación.

"Léxico", un apartado con ejercicios para practicar el léxico de la unidad.

AGENDA DEL ESTUDIANTE

Al principio y al final del libro se incluye una agenda personal en la que los estudiantes pueden anotar información sobre sus clases y sobre aspectos interesantes de su estancia en España. Además, esta sección contiene información útil para que los estudiantes puedan desenvolverse en su vida cotidiana y en sus viajes por España (páginas web de interés, información sobre las comunidades autónomas, etc.).

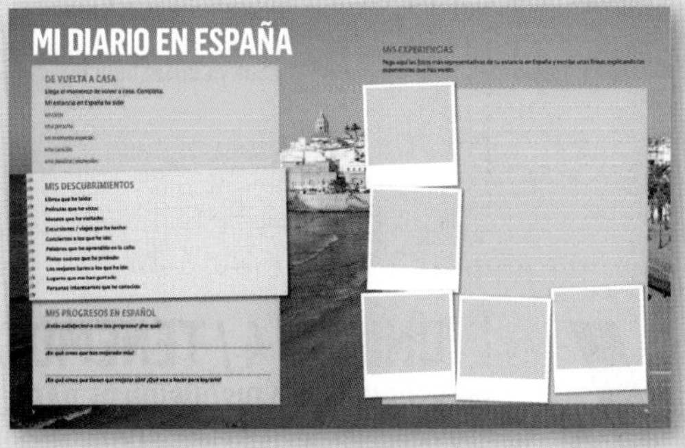

MI DIARIO EN ESPAÑA
DE VUELTA A CASA
MIS DESCUBRIMIENTOS
MIS PROGRESOS EN ESPAÑOL
MIS EXPERIENCIAS

campus difusión

Vídeos
Audios
Actividades para practicar los contenidos de cada unidad
Evaluaciones autocorregibles
Glosarios
Transcripciones
Soluciones de las actividades de Más ejercicios

PÁG. 10

UNIDAD 1 / ¿SE TE DAN BIEN LAS LENGUAS?

PREPARAR UNA PRESENTACIÓN PARA CONSEGUIR HACER UN CURSO

RECURSOS COMUNICATIVOS
- hablar de habilidades
- hablar de emociones
- conectar frases

RECURSOS GRAMATICALES
- verbos que llevan pronombre (**hacerse**, **ponerse**, **quedarse**, **sentirse**...)
- **aunque** y **y eso que**

RECURSOS LÉXICOS
- **dársele bien** / **mal** algo a alguien
- **dar vergüenza** / **miedo**
- **ponerse nervioso/-a**, **triste**...
- adjetivos **buen** y **gran**
- adjetivos de carácter
- **ser bueno** / **malo** + gerundio

2

PÁG. 22

UNIDAD 2 / ¡BASTA YA!

ESCRIBIR UNA CARTA ABIERTA PARA EXPONER UN PROBLEMA

RECURSOS COMUNICATIVOS
- expresar deseos, reclamaciones y necesidad
- proponer soluciones
- escribir una carta abierta denunciando un problema

RECURSOS GRAMATICALES
- el presente de subjuntivo
- **querer** / **pedir** / **exigir** / **necesitar** + infinitivo
- **querer** / **pedir** / **exigir** / **necesitar** + **que** + subjuntivo
- **debemos** / **tenemos que** / **se debe** / **deberían** / **se debería** / **habría que**
- **cuando** + subjuntivo, **antes de que** + subjuntivo

RECURSOS LÉXICOS
- política y sociedad
- la educación

3

PÁG. 34

UNIDAD 3 / EL TURISTA ACCIDENTAL

CONTAR ANÉCDOTAS REALES O INVENTADAS

RECURSOS COMUNICATIVOS
- recursos para contar anécdotas
- recursos para mostrar interés al escuchar un relato
- hablar de causas y consecuencias

RECURSOS GRAMATICALES
- algunos conectores para hablar de causas y consecuencias: **como**, **porque**, **así que**, **de modo que**, etc.
- el pretérito pluscuamperfecto de indicativo
- combinar los tiempos del pasado en un relato (pretérito perfecto, pretérito indefinido, pretérito imperfecto, pretérito pluscuamperfecto)

RECURSOS LÉXICOS
- viajes
- tipos de turismo

4

PÁG. 46

UNIDAD 4 / TENEMOS QUE HABLAR

ESCRIBIR UNA DISCUSIÓN DE PAREJA PARA EL GUIÓN DE UNA PELÍCULA

RECURSOS COMUNICATIVOS
- expresar intereses y sentimientos
- hablar de las relaciones entre personas
- mostrar desacuerdo en diversos registros
- suavizar una expresión de desacuerdo
- contraargumentar

RECURSOS GRAMATICALES
- **me fascina** / **me encanta** / **odio** / **no aguanto... que** + subjuntivo
- **me fascina** / **me encanta** / **odio** / **no aguanto...** + sustantivo / infinitivo

RECURSOS LÉXICOS
- verbos para expresar intereses, sentimientos y sensaciones
- manías
- recursos para mostrar desacuerdo
- adjetivos para describir el carácter de las personas

1 ¿SE TE DAN BIEN LAS LENGUAS?

EMPEZAR

1. INTELIGENCIAS MÚLTIPLES

A. ¿Has oído hablar de las inteligencias múltiples? Lee este artículo. ¿Qué inteligencia o inteligencias crees que tienen más desarrolladas estas personas?

- un ingeniero
- un cirujano
- un actor
- un psicólogo
- un profesor de yoga
- un guionista
- un bailarín
- un mecánico

B. ¿Y tú? ¿Qué inteligencias crees que tienes más desarrolladas? ¿Cuáles menos?

- *Yo no tengo nada de inteligencia espacial, porque me cuesta mucho leer mapas...*
- *Ah, yo tampoco. Yo no sé dibujar, por ejemplo...*

Inteligencias
múltiples
Según la teoría de las inteligencias múltiples, de Howard Gardner, existen distintos tipos de inteligencias. Todos las tenemos, pero en distinto grado.

EN ESTA UNIDAD VAMOS A

PREPARAR UNA PRESENTACIÓN PARA CONSEGUIR HACER UN CURSO

RECURSOS COMUNICATIVOS

- hablar de habilidades
- hablar de emociones
- conectar frases

RECURSOS GRAMATICALES

- verbos que llevan pronombre (**hacerse**, **ponerse**, **quedarse**, **sentirse**...)
- **aunque** y **y eso que**

RECURSOS LÉXICOS

- **dársele bien / mal** algo a alguien
- **dar vergüenza / miedo**
- **ponerse nervioso/-a**, **triste**...
- adjetivos **buen** y **gran**
- adjetivos de carácter
- **ser bueno / malo** + gerundio

1. LINGÜÍSTICO-VERBAL
Tiene capacidad para comunicar, informar, persuadir... Se le da bien escribir y aprender idiomas y tiene facilidad para memorizar cosas. Es buen conversador.

2. LÓGICO-MATEMÁTICA
Tiene capacidad para pensar de forma lógica, estableciendo relaciones de causa-efecto y haciendo abstracciones. Es bueno resolviendo problemas de lógica u operaciones matemáticas.

3. ESPACIAL
Le resulta fácil entender la relación entre las formas y los tamaños de los objetos y percibir las distancias. Por eso, se le da bien hacer maquetas, leer mapas y disciplinas como la escultura o el dibujo. Además, tiene facilidad para usar la tecnología.

4. MUSICAL
Es capaz de percibir distintos tonos y de crear melodías. Se le da bien cantar, tocar o componer. También tiene facilidad para imitar acentos.

5. CINESTÉSICA
Se mueve con facilidad y suele ser bueno creando objetos manualmente. Tiene una gran habilidad para expresar ideas y sentimientos con el cuerpo. Por eso, se le da bien hacer deporte, bailar o la artesanía.

6. INTRAPERSONAL
Tiene una gran capacidad para analizarse y conocer sus defectos y virtudes. No le resulta difícil concentrarse y puede ser muy disciplinado. Es bueno escribiendo diarios personales o autobiografías.

7. INTERPERSONAL
Tiene facilidad para entender las necesidades de los demás y saber cómo se sienten. Por eso, es bueno trabajando en equipo. No le cuesta establecer relaciones y suele ser un buen líder.

8. NATURALISTA
Le preocupa el medioambiente y le gusta interactuar con la naturaleza: sabe reconocer las especies de animales y de vegetales y se le da bien cultivar y cuidar a los animales.

2. HABLA UN MONTÓN DE LENGUAS P. 111, EJ. 10-11

A. Lee esta entrevista a una profesora de alemán que habla muchas lenguas. ¿Cuáles? ¿Cómo las ha aprendido? Escríbelo en tu cuaderno.

Ser políglota

Johanna Blum ha sido profesora de alemán durante años. Actualmente vive en Barcelona y trabaja en una editorial. Johanna es una gran políglota.

Johanna, ¿cuál es tu lengua materna?
Soy medio italiana y medio alemana, pero mi lengua materna es el alemán. Mi madre es alemana y mi padre, italiano, así que en mi casa se hablaban las dos lenguas: italiano cuando estábamos en Italia y alemán cuando estábamos en Alemania.

¿Vivíais en los dos países?
Bueno, mis padres se conocieron en Roma pero, cuando yo tenía 3 años, nos fuimos a vivir a Alemania. Yo viví de los 3 a los 19 años en Alemania y me eduqué en alemán, pero nunca perdí el italiano porque íbamos 4 o 5 veces al año a Italia.

¿Y a los 19 años...?
Me fui a Milán a estudiar Filología.

¿Fue fácil estudiar la carrera en italiano?
Relativamente. En aquel momento, mi italiano no era muy bueno. Por eso tuve que estudiar bastante e incluso hice un curso de dicción para mejorar mi pronunciación.

¿Y las otras lenguas que hablas?
Bueno, estudié inglés y francés en la escuela y en la universidad. El inglés lo empecé a estudiar a los 10 años, cinco horas por semana, como casi todos los niños en Alemania, y luego seguí en la universidad.

¿En qué ámbitos has usado el inglés?
En primer lugar, durante la carrera. Luego usé mucho el inglés cuando trabajaba de secretaria. Y durante un año viví con mi marido en Sudáfrica y, claro, allí mi inglés mejoró mucho. Además, me encanta la literatura inglesa y siempre he leído mucho en inglés.

"No puedes tener la misma relación con todas las lenguas que hablas, igual que no tienes la misma relación con dos personas diferentes."

¿Y el francés?
Empecé a estudiarlo a los 14 años, cinco horas semanales también. Y como mi tía favorita vive en Lyon, he estado muchas veces en Francia. El francés es una lengua que me encanta: el teatro, la literatura, el cine... Aunque últimamente se me ha olvidado un poco, la verdad.

¿Y el español?
El español lo empecé a aprender cuando vine a vivir a Barcelona, hace 12 años. La verdad es que nunca he ido a clase. El primer año me compré un método de autoaprendizaje y estudiaba en casa.

¿Y estudiando sola en casa aprendiste a hablar tan bien?
Bueno, hacía más cosas: leía periódicos, memorizaba muchas frases, hablaba con nuestros nuevos amigos y tenía un cuaderno donde anotaba todas las palabras nuevas que aprendía.

¿Y el catalán?
Lo entiendo, pero todavía no lo hablo muy bien. Veo la televisión sin problemas y también voy a ver obras de teatro en catalán, participo en reuniones de trabajo o con amigos en las que se habla en catalán, etc.

¿Hablas todas las demás lenguas igual de bien? ¿Cuál hablas mejor?
Creo que no puedes tener la misma relación con todas las lenguas que hablas, igual que no tienes la misma relación con dos personas diferentes. La lengua que hablo mejor es el alemán, que es mi lengua materna y la que siento más mía.

B. Ahora responde tú a estas preguntas.

1. ¿Qué lengua/s se habla/n en tu casa? ¿Es la lengua materna de tus padres?
2. En tu país, ¿hay una o varias lenguas oficiales? ¿Se hablan otras lenguas además de la/s oficial/es?
3. ¿Existen en tu país comunidades que hablan otras lenguas? ¿Tienes contacto con ellas?
4. ¿Qué lengua(s) estudias tú?
5. ¿Cuántas lenguas estudia en tu país un joven hasta los 16 años? ¿Y hasta los 18?
6. ¿Cuáles son las lenguas más importantes de tu país en el ámbito profesional?
7. ¿Cuál es la lengua que te gusta más de todas las que has oído?
8. ¿En cuántas lenguas sabes decir "gracias"?

3. APRENDER A APRENDER

+ P. 108, EJ. 1; P. 112, EJ. 15

A. Lee el texto que ha escrito Carmina. ¿Qué le contestarías? Coméntalo con un compañero.

www.aprendiendo.dif

APRENDIENDO.DIF
un foro para compartir experiencias de aprendizaje

Carmina, Madrid

¿Se puede aprender a bailar siendo mayor?

Siempre he querido saber bailar bien, pero se me da muy mal. De joven, me daban envidia mis amigas, que salían a la pista a bailar con chicos. Yo siempre me quedaba sentada mirando. Tendría que haber intentado aprender entonces, pero no lo hice. Ahora me he hecho mayor (¡ya tengo 58 años!) y, aunque me gustaría, me da vergüenza ir a clases de baile… Me da miedo sentirme ridícula rodeada de gente joven. ¿Creéis que podría hacerlo sola con un profesor particular?
¿O es demasiado tarde?

Comentarios

Mónica, Guadalajara

Nunca es tarde para aprender. Además, si lo intentas, quizás descubras que no se te da tan mal como piensas. Yo, por ejemplo, era un desastre haciendo deporte cuando era niña, pero a los veinte años empecé a salir con un chico muy deportista y me empezó a gustar el deporte.
¡E incluso descubrí que era bastante buena!

Julián, Burgos

Estoy de acuerdo. Yo creo que a veces hemos crecido pensando que no somos buenos haciendo algo, pero eso no tiene por qué ser cierto. Es verdad que nacemos con unas capacidades, pero lo que en principio no se nos da tan bien se puede aprender. Yo era muy malo cocinando y, cuando me jubilé, fui a un curso de cocina para aprender a cocinar. Ahora sé hacer muchos platos nuevos y ¡no se me da nada mal! Creo que tienes que intentarlo.

B. Ahora lee los comentarios. ¿Coinciden con lo que habéis comentado antes?

4. SE LE DA MUY BIEN PLANCHAR

P. 108, EJ. 2-3; P. 109, EJ. 4

A. Vincent trabaja como *au pair* en España. Relaciona cada frase con una imagen. ¿Crees que es un buen *au pair*? ¿Por qué?

1. **Le cuesta** levantarse temprano para llevar a los niños al colegio.
2. **Le da vergüenza** estar solo con la madre de los niños.
3. **Le resulta imposible** controlar a los niños.
4. **Es muy bueno** cocinando.
5. **No consigue** recordar los horarios de las actividades extraescolares de los niños.
6. **Se le da muy bien** planchar.
7. **Es un desastre** hablando español.
8. **No se le da mal** jugar con los niños.

B. Observa cómo funcionan los verbos **costar**, **dar vergüenza** y **resultar fácil / difícil**... ¿Conoces otros que funcionen igual? ¿Cuáles? Coméntalo con tus compañeros. Luego, escribe cinco frases sobre ti utilizando esos verbos.

(A mí)	(no)	me	**cuesta/n** **resulta/n fácil/es /difícil/es...**	hablar en español. memorizar teléfonos. los problemas de matemáticas.
			da/n vergüenza...	hablar en público. hablar de mis sentimientos.

C. Fíjate en cómo funciona la expresión **dársele bien / mal** (algo a alguien). Luego, pregunta a un compañero sobre sus habilidades en los siguientes temas.

Las manualidades | La cocina | Las matemáticas | Los deportes | Los idiomas | Dibujar | Cantar

- *¿Se te dan bien las manualidades?*
- *¡Qué va! Se me dan fatal.*

5. SOY UN DESASTRE CONDUCIENDO + P. 113, EJ. 18

A. Completa estas frases. Pero, ¡atención! Dos de ellas tienen que ser mentira.

Soy muy bueno/-a ....

Se me da muy bien ....

Se me dan muy bien ....

Me resulta fácil ....

No me cuesta (nada) ....

PARA COMUNICAR

Se me da bien / mal / fatal	No me cuesta (nada)
Se me dan bien / mal / fatal	Me resulta muy difícil
Me resulta fácil / difícil	Soy bueno / un desastre
Me cuesta mucho	

B. Ahora, vais a hacer grupos de tres y vais a leer las frases a vuestros compañeros. Tenéis que averiguar qué cosas son mentira. Para ello, tenéis que hacer preguntas.

6. ME PONGO SUPERNERVIOSO + P. 110, EJ. 9; P. 113, EJ. 16-17

A. En una revista para adolescentes han preguntado a unos estudiantes cuál es su asignatura preferida. Lee lo que dicen. ¿Con quién coincides más? ¿Por qué? Coméntalo con un compañero.

¿TE GUSTA?

¿Cuál es tu asignatura preferida?

Raquel: El inglés. **Me gusta** aprender cosas sobre otras culturas y **me encantan** las actividades que hacemos. Es muy divertido: vemos vídeos, aprendemos canciones... Tenemos inglés los lunes y los jueves y **me pongo muy contenta** esos días.

Míriam: A mí **me encantan** las ciencias naturales. **Me lo paso genial** cuando vamos al laboratorio a hacer prácticas.

Javi: Literatura. **Me lo paso en grande** leyendo novelas clásicas. Además, **me encanta** el profe, habla superbien y nos hace hacer trabajos muy interesantes.

Jamal: Las matemáticas. Ya sé que parece raro, pero a mí **me apasiona** hacer problemas de mates. ¡Me puedo pasar una tarde entera intentando resolver un problema! Y cuando lo consigo **me siento superrealizado**.

¿Qué asignatura te gusta menos?

Raquel: ¡Las matemáticas! No consigo resolver los problemas. Lo intento, pero no me salen y **me siento muy frustrada**. Y claro, muchas veces suspendo los exámenes y, cuando me dan las notas, **me pongo muy triste**, **me quedo hecha polvo**.

Míriam: La historia. **No me gusta** nada. **Me molesta** tener que aprenderme las fechas de memoria y no consigo recordarlas. ¡En los exámenes siempre **me quedo en blanco**!

Javi: El inglés. Me cuesta mucho. **Me siento ridículo** hablando inglés delante de mis compañeros. No sé, **me da vergüenza**...

Jamal: Educación física. **Lo paso fatal** en clase. Sobre todo cuando tenemos que saltar el potro. **Me da miedo** y **me pongo muy nervioso**.

B. ¿Qué expresiones en negrita sirven para describir emociones y sentimientos positivos? ¿Cuáles negativos? Clasifícalas en tu cuaderno.

C. Completa con las expresiones en negrita que aparecen en los textos del apartado A.

Sentirse...	
Quedarse...	
Ponerse...	
Pasarlo...	

7. LOS "RAROS" DE LA FAMILIA

P. 109, EJ. 5-6; P. 112, EJ. 13-14

01-04

A. Vas a escuchar a cuatro personas que, aunque han vivido en un ambiente propicio para aprender algo, no lo hacen bien. Toma notas en tu cuaderno.

1. Carla 1
2. Marisa
3. Marcos
4. África

B. Lee estos fragmentos de los diálogos y fíjate en cómo usan **aunque** y **y eso que**. ¿Entiendes qué significan?

1
- ¿Y entonces no cantas nunca?
- Sí, claro que canto, en todas partes: en la ducha, en el coche... A mí me encanta cantar, **aunque** reconozco que se me da fatal.

2
- ¿Pero tú no sabías coser?
- A ver, coso, **aunque** no me gusta nada.

3
- Marcos habla muchos idiomas, ¿no?
- ¿Marcos? ¡Qué va! **Y eso que** sus padres son diplomáticos y se ha pasado la vida en el extranjero, pero se le dan fatal los idiomas.

4
- ¿Sí? ¿Y cómo es que a vosotros no?
- Pues mira, nunca lo consiguieron... **y eso que** lo intentaron, pero yo siempre he sido un desastre haciendo deporte.

8. SIEMPRE SE LE PIERDEN LAS LLAVES DE CASA

P. 110, EJ. 7

A. Javi es un manazas y Rosario es muy despistada. ¿Qué cosas crees que les pasan a cada uno?

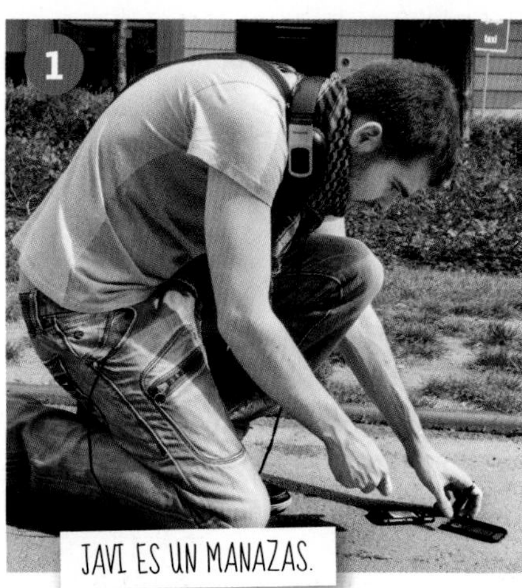

1
JAVI ES UN MANAZAS.

2
ROSARIO ES MUY DESPISTADA.

- Siempre **se le pierden** las tarjetas de crédito.
- **Se le olvidan** las llaves de casa en las tiendas.
- A menudo **se le rompen** los platos.
- Cuando intenta poner una bombilla, **se le cae** al suelo.
- **Se le estropean** los aparatos eléctricos porque no sabe usarlos.
- **Se le olvida** la sartén en el fuego y **se le quema** la comida.

B. Fíjate en los verbos en negrita. ¿Cuál es el sujeto de cada frase? Subráyalo.

C. Y a ti, ¿qué te pasa?

- se te olvida...
- se te pierde...
- se te rompe...
- se te cae...
- se te estropea...

- *A mí siempre se me pierden los paraguas.*
- *Ah, pues a mí se me pierden muchas veces los pendientes, porque me los quito y se me olvidan: en un bar, en la casa de un amigo...*

HABLAR DE EMOCIONES

Para hablar de emociones usamos las expresiones **dar vergüenza / miedo / pánico / pena**, etc.

(a mí) (a ti) (a él/ella/usted) (a nosotros/-as) (a vosotros/-as) (a ellos/ellas/ustedes)	**me** **te** **le** **nos** **os** **les**	**da** miedo	(INFINITIVO) hablar en público (SUSTANTIVO SINGULAR) esta situación
		dan miedo	(SUSTANTIVO PLURAL) estas situaciones

*A veces **me da vergüenza** leer mis trabajos en clase.*

También usamos las expresiones **ponerse nervioso/-a**, **rojo/-a**, **histérico/-a**, **de buen / mal humor**, **triste**...

(yo) (tú) (él/ella/usted) (nosotros/nosotras) (vosotros/vosotras) (ellos/ellas/ustedes)	**me pongo** **te pones** **se pone** **nos ponemos** **os ponéis** **se ponen**	nervioso/-a nerviosos/-as

También usamos **sentirse bien / mal / ridículo/-a / cansado/-a...**
***Me siento** un poco **ridículo** cuando tengo que hablar en inglés.*

Algunos verbos, como **poner**, funcionan de dos maneras:
***Me pongo nervioso/-a** cuando tengo que hablar en público.*
***Me pone nervioso/-a** hablar en público.*

HABLAR DE HABILIDADES

(a mí) (a ti) (a él/ella/usted) (a nosotros/-as) (a vosotros/-as) (a ellos/-as/ustedes)	**me** **te** **le** **nos** **os** **les**	**cuesta** **resulta** fácil	(INFINITIVO) leer (SUSTANTIVO SINGULAR) la lectura
		cuestan **resultan** fáciles	(SUSTANTIVO PLURAL) las matemáticas

(a mí) (a ti) (a él/ella/usted) (a nosotros/-as) (a vosotros/-as) (a ellos/-as/ustedes)	**se me** **se te** **se le** **se nos** **se os** **se les**	**da**	bien mal ...	(INFINITIVO) cocinar (SUSTANTIVO SINGULAR) la cocina
		dan	bien mal ...	(SUSTANTIVO PLURAL) las matemáticas

*Me gustaría estudiar Arquitectura, pero el dibujo **me cuesta mucho**.*
*A Diana **se le da fatal** la cocina... No sabe ni hacer un huevo frito.*

También podemos usar **ser bueno** / **malo** + gerundio:
*Víctor **es muy bueno dibujando**.*

VERBOS QUE LLEVAN PRONOMBRES P. 110, EJ. 8

ME / TE / SE / NOS / OS / SE

HACERSE + ADJETIVO		
(yo) (tú) (él/ella/usted) (nosotros/nosotras) (vosotros/vosotras) (ellos/ellas/ustedes)	**me** hago **te** haces **se** hace **nos** hacemos **os** hacéis **se** hacen	viej**o/-a** viej**os/-as**

Otros verbos: **ponerse**, **quedarse**, **sentirse**, etc.

ME / TE / LE / NOS / OS / LES

INTERESAR		
(a mí) (a ti) (a él/ella/usted) (a nosotros/-as) (a vosotros/-as) (a ellos/-as/ustedes)	**me** **te** **le** **nos** **os** **les**	interesa/n

Otros verbos: **costar**, **gustar**, **apasionar**, **interesar**, **dar miedo / vergüenza**...

En estos casos, los verbos se usan casi siempre en tercera persona del singular y del plural. El sujeto es aquello que nos provoca el sentimiento de interés, miedo, etc.

SE ME / SE TE / SE LE / SE NOS / SE OS / SE LES

(a mí) (a ti) (a él/ella/usted) (a nosotros/-as) (a vosotros/-as) (a ellos/-as/ustedes)	**se me** **se te** **se le** **se nos** **se os** **se les**	olvida/n

Otros verbos: **perdérsele** (algo a alguien), **rompérsele** (algo a alguien), **caérsele** (algo a alguien), etc.

Con estos verbos expresamos una idea de involuntariedad. En estos casos, los verbos solo se usan en tercera persona del singular y del plural.
- *¿**Se te han** olvidado **los documentos***?*
- *No. Están aquí, pero **se me ha perdido uno**.*

*El sujeto es aquello que hemos olvidado, no la persona.

AUNQUE, Y ESO QUE

Con **aunque** y **y eso que** unimos dos informaciones que son, en apariencia, contradictorias. Es decir, estos conectores presentan una información que, "lógicamente", debería tener una consecuencia diferente.
*Viste de una manera sencilla **aunque** gana mucho dinero.*
*Se me da fatal bailar. ¡**Y eso que** de pequeña hice ballet durante ocho años!*

9. EL ITALIANO EN EL CORAZÓN

05

A. Johanna participó una vez en un curso sobre plurilingüismo. Lee la actividad que hizo. Luego, escucha y marca dónde colocó Johanna las seis lenguas que habla.

05

B. Vuelve a escuchar la conversación y anota las razones que da Johanna para colocar una lengua en un sitio u otro.

C. Ahora, te toca a ti. ¿Dónde pondrías tú las lenguas que hablas?

¿Con qué partes del cuerpo humano relacionas las lenguas que hablas? ¿Por qué?

Coloca en este dibujo las lenguas que hablas. Luego, explica a tus compañeros por qué lo has hecho así.

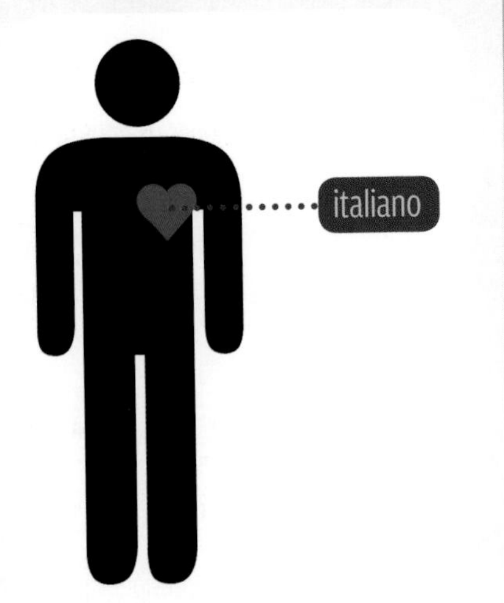

10. HABLABA INGLÉS FATAL

A. Vas a escuchar a estas tres personas hablando de experiencias de aprendizaje. Antes, lee lo que dicen. ¿Qué crees que les pasó? Coméntalo con un compañero.

1. Aitor García
"Estudié piano de los 10 a los 16 años."
(...)
"Nunca más volví a tocar."

2. Jordi Alvarado
"Empecé a esquiar de mayor, con casi 30 años."
(...)
"Desde entonces, el esquí es mi deporte favorito."

3. Carlos Duato
"Cuando llegué a Estados Unidos para estudiar en la universidad, hablaba fatal."
(...)
"Ahora me resulta casi tan natural hablar en inglés como en español."

06-08

B. Escucha y comprueba.

C. ¿Con quién relacionas estos datos?

- Hizo un curso intensivo de ocho meses.
- Era un poco vago.
- Hizo cursos para mejorar.
- Al principio, le daba miedo.
- No le interesaba.

D. Ahora, piensa en cosas que has aprendido a hacer bien. Luego, en grupos de tres, compartid vuestras experiencias. Intentad llegar a conclusiones sobre qué cosas influyen en el éxito a la hora de aprender algo.

- *Una cosa que creo que hago bien es bailar tango.*
- *¿Ah, sí? ¿Y cuándo aprendiste?*
- *Empecé hace un par de años en un curso que hice en mi barrio. Aprendí rápido porque el profesor era muy bueno.*

E. ¿Has tenido alguna experiencia de aprendizaje negativa? Cuéntasela a tus compañeros.

11. TU ASIGNATURA PENDIENTE

A. La revista *Aprender* te ofrece la posibilidad de hacer el curso que siempre has soñado. Lee el anuncio y decide qué curso te gustaría hacer.

DESARROLLA
TU TALENTO
aA
¿Hay alguna cosa que siempre has hecho bien pero que quieres mejorar? ¿Quieres aprender a hacer algo que siempre se te ha dado mal? En la revista *Aprender* te vamos a dar esa oportunidad.
Escríbenos y cuéntanos cuál es el curso de tus sueños.
Puede estar relacionado con cualquiera de estos ámbitos.
• artesanía • deporte • casa • mente
• lenguas • cuerpo • nuevas tecnologías • cultura

B. Ahora, coméntalo con un compañero, que te puede hacer preguntas.

- *A mí me encantaría hacer un curso de acroyoga.*
- ○ *¿Sí? ¿Has hecho yoga alguna vez?*
- *Sí, empecé a hacer yoga hace dos años y me encantó. Al principio no se me daba bien, pero poco a poco fui ganando flexibilidad y empecé a tomar conciencia de mi cuerpo. Y eso me gustó mucho, porque yo pensaba que no tenía flexibilidad y que no era buena para el deporte.*
- ○ *¿En serio?*
- *Sí, en la escuela, yo era malísima en clase de Educación Física. Y cuando empecé a hacer yoga me di cuenta de que, en realidad, el deporte se me da mejor de lo que pensaba. Y a partir de ese momento empecé a hacer deporte...*
- ○ *Pero si ya has hecho un curso de yoga, ¿para qué quieres hacer otro?*
- *Ahora me gustaría hacer un curso de acroyoga para llegar a ser instructora.*

C. Prepara la solicitud que vas a enviar a la revista. Explica qué curso quieres hacer y por qué crees que te mereces esa oportunidad. Puedes hacer un texto escrito, un vídeo... Es importante que seas convincente.

No olvides hablar de...
- tus motivos.
- tus experiencias.
- tus habilidades o frustraciones.

De: susanna_mendez@gmail.com
Para: desarrollatutalento@dif
Asunto: curso de acroyoga

Buenos días:
Soy una entusiasta del yoga y la meditación, y me gustaría hacer un curso de acroyoga para llegar a ser profesora. Les adjunto un vídeo en el que explico cuáles son los motivos por los que querría hacer ese curso.

12. VOCACIONES P. 111, EJ. 12

A. En grupos, elegid a una de estas personas y buscad información en internet. Tenéis un minuto para anotar lo que encontréis. Luego contádselo a vuestros compañeros.

B. Ahora lee los textos y subraya los datos que no conocías. ¿Qué trayectoria profesional te parece más interesante?

VOCACIONES

MARÍA GALIANA

TRIUNFAR A LOS 60

Nació en 1925, pero no debutó como actriz hasta 1985, cuando tenía 60 años. Anteriormente había dedicado toda su vida a dar clases de Historia del Arte en dos institutos públicos de Sevilla, su ciudad natal. María había hecho teatro amateur con un grupo de profesores del instituto, pero la fama le llegó después de su jubilación, cuando obtuvo un premio Goya a la mejor actriz de reparto por su emocionante interpretación de una madre sacrificada en la película *Solas* (1999). Después de este reconocimiento, ha participado en muchas otras películas, pero es especialmente conocida por su papel de Herminia, la abuela de la familia Alcántara, en la serie *Cuéntame cómo pasó*.

"En el colegio siempre era la que hacía los teatros de fin de curso. Pero no me gustaba la vida de la gente de la farándula y sigue sin gustarme. No me agradaba la inseguridad; no saber si tendría trabajo o no."

"Mi auténtica vocación ha sido la de enseñar. (...) Además quería casarme y tener niños, ahí está la explicación de por qué no me dediqué a la actuación desde joven."

KILIAN JORNET

ESTAR PREDESTINADO

Es esquiador y corredor de montaña y bate récords en su disciplina. Nació en 1987 en Sabadell, pero pronto sus padres se fueron a vivir a la montaña. Desde entonces, siempre ha vivido en las alturas. De pequeño, iba esquiando a la escuela en invierno, y en bicicleta en verano. Y decía que quería ser "contador de lagos". A los cinco años ya había subido al pico del Aneto (el más alto de la península ibérica) y, a los diez, había hecho la travesía de los Pirineos. El periódico *L'Équipe* lo declaró en 2012 "Campeón de campeones" y *National Geographic* le otorgó en 2014 el premio de "Aventurero del año".

"Suelo decir en broma que no tuve oportunidad de ser otra cosa, porque me pasé la vida en la montaña."

"No (soy) contador de lagos, precisamente, pero estoy todos los días en la montaña, entrenando, haciendo sesiones fotográficas y otras cosas. Realmente disfruto del día a día y de mi trabajo, que es estar en la montaña."

C. ¿Conoces famosos que puedan entrar en estas "categorías"? Haz una lista.

- triunfar de mayor.
- tenerlo claro desde niño.
- estar predestinado.

D. Escribe un texto presentando a uno de los famosos de la lista que has hecho en la actividad anterior.

DAVID MUÑOZ

TENERLO CLARO DESDE NIÑO

Nació en Madrid en 1980 y ya de muy pequeño sabía que quería ser cocinero. Después de unos años trabajando en varios restaurantes asiáticos en Londres, volvió a Madrid y abrió el restaurante DiverXO. Los comienzos fueron difíciles: él y su mujer tuvieron que vivir en el restaurante durante un año, por falta de dinero. Pero dos años después, en 2009, consiguió la primera estrella Michelin. En 2011, la segunda y en 2013, la tercera; se convirtió así, a sus 32 años, en el único chef de Madrid con tres estrellas.

"Desde muy temprana edad tengo recuerdos de conexiones de ingredientes en mi cabeza. Mi primer menú lo hice con 12 años."

"Hay una parte del talento que es innata, pero luego ese talento se trabaja como un músculo."

VÍDEO

aula.difusion.com

EN CONSTRUCCIÓN

¿Qué te llevas de esta unidad?

Lo más importante para mí:

....

....

Palabras y expresiones:

....

....

Algo interesante sobre la cultura hispana:

....

....

Quiero saber más sobre...

....

....

Cómo voy a recordar y practicar lo que he aprendido:

....

....

2 ¡BASTA YA!

EMPEZAR

1. PROBLEMAS QUE AFECTAN A LOS JÓVENES

P. 116, EJ. 10-11

A. ¿Cuáles crees que son los tres temas que más preocupan a los jóvenes de tu país? Coméntalo con un compañero.

- *Yo creo que lo que más preocupa a los jóvenes es...*

- El paro
- Los problemas económicos
- La educación
- La sanidad
- Los políticos, los partidos políticos y la política
- La corrupción y el fraude
- Los problemas de tipo social
- La vivienda
- Los problemas relacionados con la calidad del empleo
- Los problemas relacionados con la juventud
- Las preocupaciones y situaciones personales
- Las pensiones
- La subida del IVA
- La inmigración
- Otros

B. Lee el texto y observa el gráfico. ¿Los problemas que afectan a los jóvenes españoles son muy diferentes de los que afectan a los de tu país?

- *En España el problema más grave para los jóvenes es el paro...*

¿QUÉ PROBLEMAS TIENEN LOS JÓVENES?

Una encuesta del Centro de Estudios Sociológicos muestra cuáles son los problemas que más afectan a los jóvenes españoles de 15 a 24 años. Los jóvenes dicen que el paro es su mayor problema, seguido de los problemas económicos, la educación, la sanidad y los políticos.

EN ESTA UNIDAD VAMOS A

ESCRIBIR UNA CARTA ABIERTA PARA EXPONER UN PROBLEMA

RECURSOS COMUNICATIVOS

- expresar deseos, reclamaciones y necesidad
- proponer soluciones
- escribir una carta abierta denunciando un problema

RECURSOS GRAMATICALES

- el presente de subjuntivo
- **querer / pedir / exigir / necesitar** + infinitivo
- **querer / pedir / exigir / necesitar que** + subjuntivo
- **debemos / tenemos que / se debe / deberían / se debería / habría que**
- **cuando** + subjuntivo, **antes de que** + subjuntivo

RECURSOS LÉXICOS

- política y sociedad
- la educación

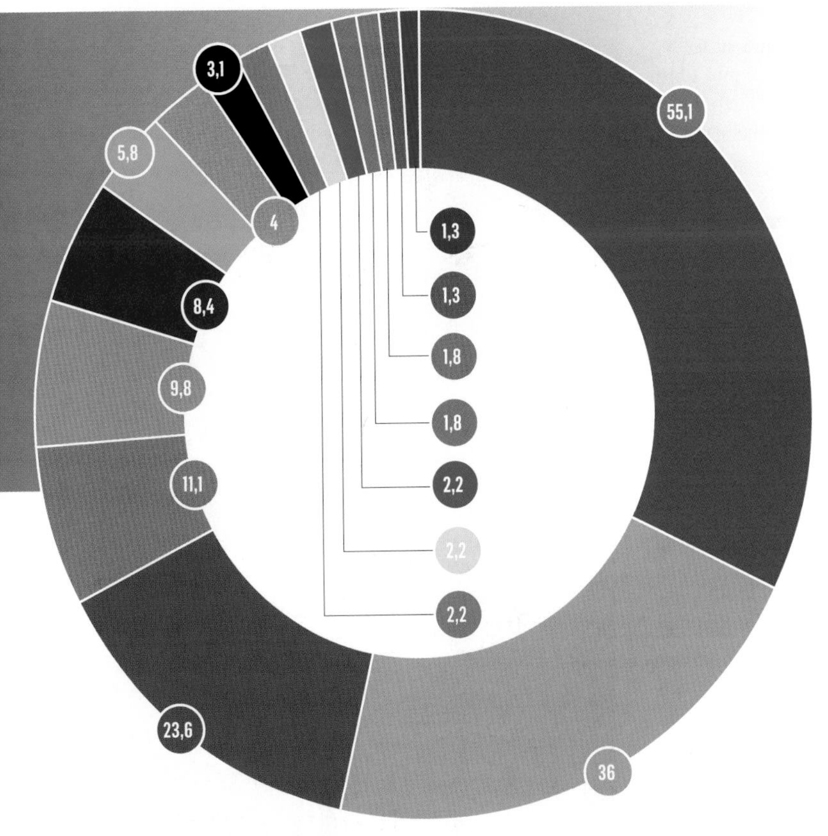

- **El paro** >> 55,1%
- **Los problemas económicos** >> 36%
- **La educación** >> 23,6%
- **La sanidad** >> 11,1%
- **Los recortes** >> 9,8%
- **Los políticos en general, los partidos políticos y la política** >> 8,4%
- **La corrupción y el fraude** >> 5,8%
- **Los problemas de tipo social** >> 4%
- **Los problemas relacionados con la calidad del empleo** >> 3,1%
- **La vivienda** >> 2,2%
- **Los problemas relacionados con la juventud** >> 2,2%
- **Las preocupaciones y situaciones personales** >> 2,2%
- **Las pensiones** >> 1,8%
- **La subida del IVA** >> 1,8%
- **La inmigración** >> 1,3%
- **El Gobierno, los políticos y los partidos concretos** >> 1,3%

Nota: la suma total es superior al 100% porque los entrevistados podían escoger tres opciones.

2. CARTA ABIERTA P. 116, EJ. 12; P. 119, EJ. 21

Un periódico local español ha recibido esta carta abierta. Leedla. Luego, en parejas, preparad preguntas de comprensión para otra pareja.

EL FUTURO DE NUESTRA EDUCACIÓN

Carta abierta al alcalde de Monreal

En Monreal, a 8 de marzo.

Apreciado señor alcalde:

Los abajo firmantes, representantes de asociaciones de vecinos y comerciantes y de grupos culturales de Monreal, nos dirigimos a usted para plantearle una cuestión de gran importancia para el futuro de nuestro pueblo: el instituto de enseñanza media Camilo José Cela.

Como usted sabe, el instituto tiene más de 50 años de historia y por él han pasado muchas generaciones de jóvenes de Monreal, pero sobre todo, es el único centro de la comarca en el que se puede cursar bachillerato. Desde hace ya algunos años, la Consejería de Educación amenaza con cerrar el instituto por razones económicas. Si finalmente se toma esa decisión, nuestro pueblo y toda la comarca sufrirán un daño enorme. Nuestros jóvenes tendrán que trasladarse cada día en autobús a la capital en un viaje de 90 minutos de ida y 90 minutos vuelta; tendrán que comer allí, con el gasto que eso comporta y, con seguridad, muchos de ellos abandonarán los estudios.

Si finalmente se produce, el cierre será dramático para el pueblo: ¿quién se querrá quedar a vivir en Monreal si se cierra el instituto? ¿Qué hará el ayuntamiento cuando la población empiece a disminuir y se queden en el pueblo únicamente los viejos, como ha pasado en tantos otros lugares?
El ayuntamiento habla de atraer inversiones a Monreal, pero ¿qué empresa invertirá en nuestro pueblo cuando no tengamos jóvenes formados?

Por todo ello, antes de que se tome esa decisión, el ayuntamiento debería actuar. Le pedimos a usted y a todo el ayuntamiento que luche por la continuidad del centro. Tenemos que exigir a la Consejería que mantenga el instituto Camilo José Cela, porque es esencial para el futuro de nuestro pueblo y de nuestra comarca. Pero sería injusto decir que este problema es únicamente responsabilidad del ayuntamiento. Este es un tema que nos afecta a todos y todos deberíamos luchar juntos. Por eso, hacemos un llamamiento a todos los ciudadanos de Monreal y les pedimos que se unan a nosotros para salvar el instituto.

> ¿Qué empresa invertirá en nuestro pueblo cuando no tengamos jóvenes formados?

Quedamos a la espera de una pronta respuesta y nos ponemos a su disposición para elaborar un calendario de actuaciones.

- *¿Quiénes son las personas que han escrito la carta?*
- *Representantes de varias asociaciones de...*

PARA COMUNICAR

¿Quién/es...	¿De quién...	¿De dónde...
¿A quién...	¿Qué...	¿Cómo...

3. MANIFESTACIONES P. 118, EJ. 18

09-11

A. Hoy, en una ciudad española, hay tres manifestaciones. Un reportero ha ido a hablar con los manifestantes para saber cuáles son sus reclamaciones. ¿Qué piden en cada una de ellas? Escucha y márcalo.

- Quieren que bajen los precios de las viviendas.
- Quieren ocupar las casas que están vacías.

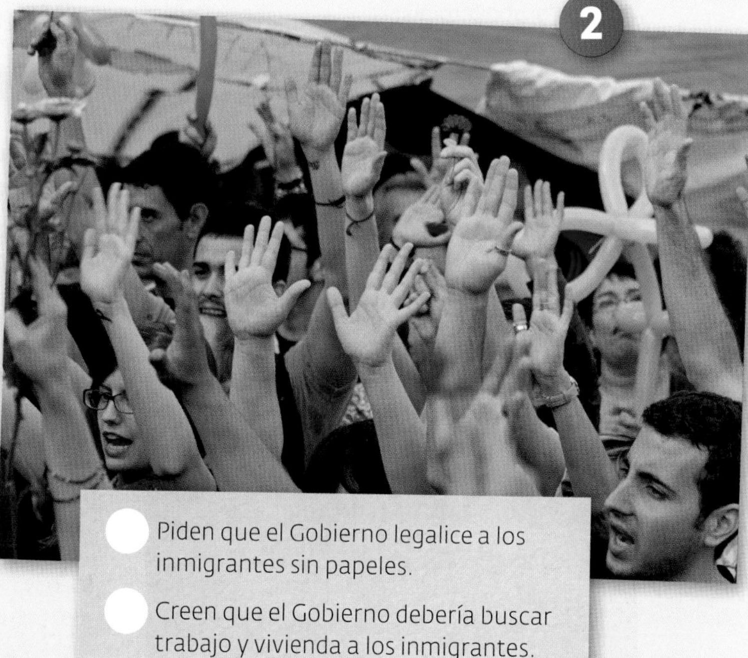

- Piden que el Gobierno legalice a los inmigrantes sin papeles.
- Creen que el Gobierno debería buscar trabajo y vivienda a los inmigrantes.

- Exigen al Gobierno que frene la desertización.
- Quieren que los agricultores aumenten la producción.

B. ¿Te parece justo lo que piden? Coméntalo con tus compañeros.

- *Yo creo que la gente que ocupa una casa vacía no hace daño a nadie.*
- *Pues a mí me parece bastante injusto porque...*

4. REIVINDICACIONES P. 114, EJ. 1

A. ¿A qué colectivos crees que pertenecen estas reivindicaciones?

- Una asociación de jubilados
- Un grupo pacifista
- Una asociación de vecinos
- Un grupo feminista
- Una asociación de parados

1
¡NO A LA DESTRUCCIÓN DE EMPLEOS! ¡NECESITAMOS TRABAJAR!

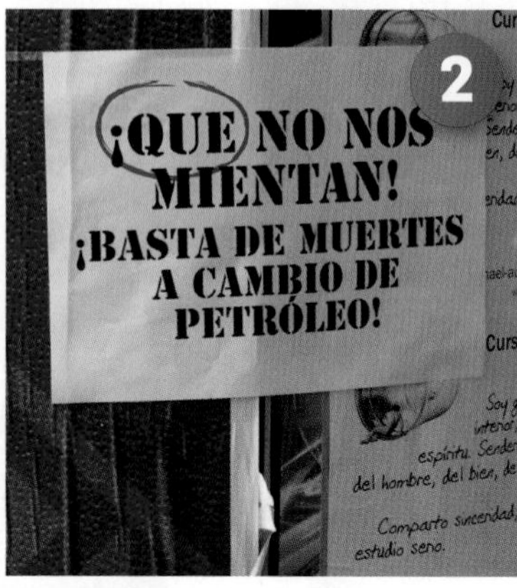

2
¡QUE NO NOS MIENTAN!
¡BASTA DE MUERTES A CAMBIO DE PETRÓLEO!

3
Queremos que construyan un parque...
¡No un parking!

4
POR UNA VIDA DIGNA: EXIGIMOS QUE NOS SUBAN LAS PENSIONES

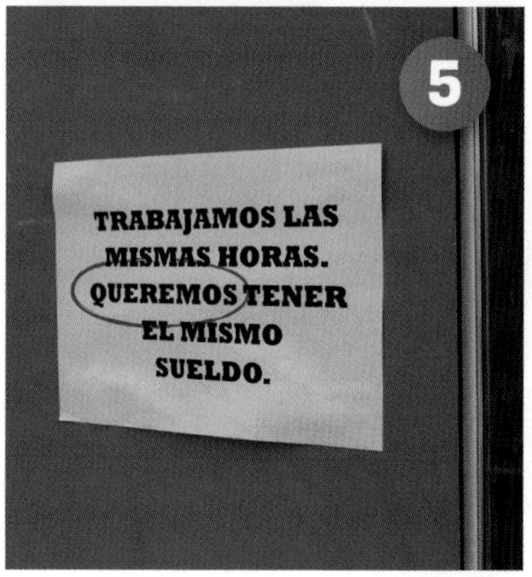

5
TRABAJAMOS LAS MISMAS HORAS. QUEREMOS TENER EL MISMO SUELDO.

B. ¿Qué tienen en común las frases anteriores? Fíjate en las estructuras marcadas. ¿En qué casos se construyen con infinitivo y en cuáles con presente de subjuntivo?

C. ¿Sabes cómo se forma el presente de subjuntivo? Intenta completar las formas que faltan.

	HABLAR	COMPRENDER	SUBIR
(yo)	habl**e**	....	sub**a**
(tú)	....	comprend**as**	....
(él/ella/usted)	habl**e**	....	sub**a**
(nosotros/-as)	....	comprend**amos**	....
(vosotros/-as)	habl**éis**	....	sub**áis**
(ellos/ellas/ustedes)	....	comprend**an**	....

5. LO QUE QUIEREN LOS VECINOS

P. 114, EJ. 2-3; P. 115, EJ. 4-5

A. Castillar es una pequeña ciudad. Los vecinos quieren que algunas cosas cambien. ¿Crees que se pueden aplicar a tu ciudad deseos parecidos? ¿Cuáles?

1. Los vecinos del barrio de La Cruz quieren que el ayuntamiento **ponga** más bancos en las calles.
2. Los estudiantes quieren que la biblioteca municipal **cierre** más tarde.
3. Los vecinos del barrio de La Peña quieren que el último autobús de la línea B3 **salga** a las 24 h de la noche, y no a las 22:00 h.
4. Los padres quieren que la escuela infantil **sea** gratuita.
5. Todo el mundo quiere que la ciudad **esté** más limpia.
6. Las personas que trabajan en el centro quieren que **se pueda** aparcar gratis.
7. Muchas personas quieren que **se reduzcan** los impuestos municipales.
8. Mucha gente quiere que el ayuntamiento **pida** una nueva estación de tren al Gobierno.
9. Los jóvenes quieren que **haya** wifi gratuito en toda la ciudad.

B. Los verbos en negrita de las frases anteriores están en subjuntivo y tienen algún tipo de irregularidad. Escribe a qué infinitivos corresponden.

C. Ahora observa cómo se conjugan estos verbos irregulares y completa los paradigmas.

	E > IE		O > UE	
	CERRAR	PENSAR	PODER	VOLVER
(yo)	cierre	....	pueda	....
(tú)	cierres	....	puedas	....
(él/ella/usted)	....	....	....	....
(nosotros/-as)	cerremos	....	podamos	....
(vosotros/-as)	cerréis	....	podáis	....
(ellos/ellas/ustedes)	cierren	....	puedan	....

	E > I		G O ZC EN LA 1ª PERSONA DEL SINGULAR		
	PEDIR	SERVIR	PONER	TENER	REDUCIR
(yo)	pida	....	ponga	....	....
(tú)	pidas	....	pongas	....	....
(él/ella/usted)	....	....	....	....	....
(nosotros/-as)	pidamos	....	pongamos	....	....
(vosotros/-as)	pidáis	....	pongáis	....	....
(ellos/ellas/ustedes)	pidan	....	pongan	....	....

6. LA EDUCACIÓN P. 117, EJ. 13-15

A. Algunas personas han hecho las siguientes afirmaciones sobre la educación. ¿Estás de acuerdo con ellas?

"Algunos padres solo se preocupan por la educación de sus hijos cuando sacan malas notas, pero no se preocupan cuando sus notas son buenas."

"Cuando los chicos y las chicas van a clase separadas, se concentran más y los resultados son mejores."

"Algún día, casi todas las clases serán a distancia y cuando eso pase, el concepto de educación cambiará radicalmente."

"Los estudiantes aprenderán más y serán más felices cuando se eliminen las notas."

"La universidad está en crisis. Cuando los estudiantes acaben sus estudios, serán la generación peor preparada de la historia."

B. Fíjate en las frases que contienen **cuando** + verbo. Clasifícalas y completa el cuadro.

Cuando + ... se refiere al presente	**Cuando** + ... se refiere al futuro

7. PEDIR O EXIGIR

A. Los verbos en negro son sinónimos de los de las etiquetas. ¿De cuáles? ¿Qué matiz crees que introducen?

1 dejar   2 ir   3 estudiar   4 pedir   5 subir   6 bajar   7 hacer algo

www. noticiasdelaregion.dif
Reader
Destacados
A
Si no **actuamos** pronto, desaparecerán muchos bosques 11
Más información:
Disminuye la venta de viviendas un 10% en este último año 83 B
Desaparecen las becas para **cursar** estudios en universidades extranjeras C
Cada vez más jóvenes **abandonan** el país debido al paro 24 D
El temporal deja el noroeste de España y **se traslada** a Canarias 24 E
Los ciudadanos **exigen** la dimisión del ministro 47 F
Aumenta el número de millonarios en Europa a pesar de la crisis 8 G

B. En parejas, buscad en internet cinco titulares de algún periódico en español. Buscad en el diccionario el léxico que no conocéis y escribid algún sinónimo, como en el apartado anterior.

PRESENTE DE SUBJUNTIVO

VERBOS REGULARES

	ESTUDIAR	COMER	ESCRIBIR
(yo)	estudi**e**	com**a**	escrib**a**
(tú)	estudi**es**	com**as**	escrib**as**
(él/ella/usted)	estudi**e**	com**a**	escrib**a**
(nosotros/nosotras)	estudi**emos**	com**amos**	escrib**amos**
(vosotros/vosotras)	estudi**éis**	com**áis**	escrib**áis**
(ellos/ellas/ustedes)	estudi**en**	com**an**	escrib**an**

ALGUNOS VERBOS IRREGULARES

	SABER	SER	IR
(yo)	**sepa**	**sea**	**vaya**
(tú)	**sepas**	**seas**	**vayas**
(él/ella/usted)	**sepa**	**sea**	**vaya**
(nosotros/nosotras)	**sepamos**	**seamos**	**vayamos**
(vosotros/vosotras)	**sepáis**	**seáis**	**vayáis**
(ellos/ellas/ustedes)	**sepan**	**sean**	**vayan**

	ESTAR	DAR	VER	HABER
(yo)	**esté**	**dé**	**vea**	**haya**
(tú)	**estés**	**des**	**veas**	**hayas**
(él/ella/usted)	**esté**	**dé**	**vea**	**haya**
(nosotros/nosotras)	**estemos**	**demos**	**veamos**	**hayamos**
(vosotros/vosotras)	**estéis**	**deis**	**veáis**	**hayáis**
(ellos/ellas/ustedes)	**estén**	**den**	**vean**	**hayan**

Los verbos con irregularidades **E > IE / O > UE** en presente de indicativo, presentan esas mismas irregularidades en presente de subjuntivo en las mismas personas.

	E > IE	O > UE
	QUERER	PODER
(yo)	quiera	pueda
(tú)	quieras	puedas
(él/ella/usted)	quiera	pueda
(nosotros/nosotras)	queramos	podamos
(vosotros/vosotras)	queráis	podáis
(ellos/ellas/ustedes)	quieran	puedan

Algunos verbos que presentan una irregularidad en la primera persona del presente de indicativo tienen esa misma irregularidad en todas las personas del presente de subjuntivo. Esto incluye los verbos con cambio vocálico **E > I (pedir, seguir, reír...)**.

hacer → **haga**	poner → **ponga**	decir → **diga**
conocer → **conozca**	salir → **salga**	oír → **oiga**
tener → **tenga**	venir → **venga**	pedir → **pida**

EXPRESAR DESEOS Y RECLAMACIONES

QUERER / ESPERAR / PEDIR / EXIGIR... + INFINITIVO (MISMO SUJETO)
*Trabajamos las mismas horas. ¡**Queremos** tener el mismo salario!*

QUERER / ESPERAR / PEDIR / EXIGIR... + QUE + PRESENTE DE SUBJUNTIVO (SUJETOS DISTINTOS)
*¡**Exigimos que** el Presidente nos reciba!*

QUE + PRESENTE DE SUBJUNTIVO
*¡**Que** se acaben las guerras!*

EXPRESAR NECESIDAD

NECESITAR + INFINITIVO (MISMO SUJETO)
*¡No más despidos! ¡**Necesitamos** trabajar para vivir!*

NECESITAR QUE + PRESENTE DE SUBJUNTIVO (SUJETOS DISTINTOS)
*¡**Necesitamos que** construyan nuevas industrias en la zona!*

CUANDO / ANTES DE QUE + SUBJUNTIVO

*Las energías alternativas se desarrollarán **cuando** se acaben las reservas de petróleo.*
*El Gobierno debe actuar **antes de que** sea demasiado tarde.*

Aunque **cuando** introduce una acción futura, no va seguido de verbos en futuro.

*Volveré cuando **termine**.* ~~*Volveré cuando **terminaré**.*~~

PROPONER SOLUCIONES Y REIVINDICAR + P. 116, EJ. 9

*El gobierno **debería** bajar los impuestos.*
***Deberíamos** tener leyes para evitar estos delitos.*

***Se debería** aprobar una ley contra la violencia doméstica.*
***Se deberían** prohibir las armas de fuego.*

***Habría que** prohibir las armas de fuego.*

***Tenemos que** exigir al ayuntamiento que cierre la central térmica.*
*El Gobierno **debe** hacer algo urgentemente para crear empleo.*

LÉXICO: ASPECTOS DE LA VIDA SOCIAL Y ADMINISTRATIVA

La justicia	La sanidad / salud
La industria	La vivienda
La cultura	El empleo / trabajo
La educación	La cooperación internacional

8. ¿QUÉ QUIEREN? + P. 115, EJ. 6; P. 119, EJ. 22

A. En parejas, describid brevemente qué quieren, en general, los siguientes tipos de asociaciones o grupos.

PARA COMUNICAR

Los ecologistas...

- **quieren (que)...**
- **creen (que)...**
- **piden (que)...**

12 **B.** Escucha ahora esta entrevista a un activista ecologista y completa el cuadro.

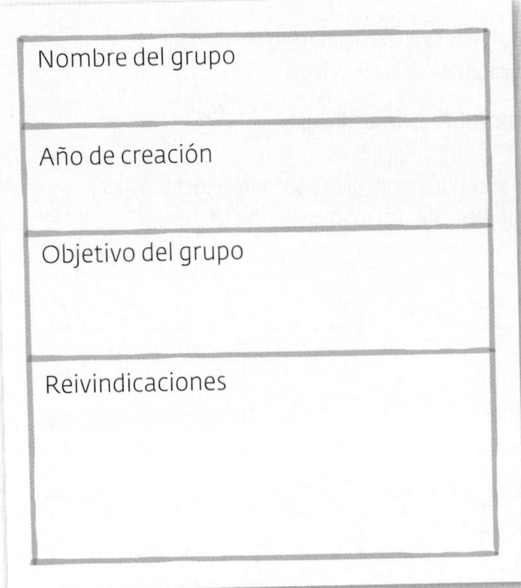

Nombre del grupo
Año de creación
Objetivo del grupo
Reivindicaciones

9. TRES DESEOS + P. 115, EJ. 7-8

A. El genio de la lámpara te concede tres deseos para cambiar cosas de tu vida y del mundo: uno para ti, otro para tu familia, otro para el mundo. Escríbelos en un papel y, luego, entrégaselo a tu profesor.

- Quiero hablar perfectamente español ya.
- Quiero que toda mi familia viva por lo menos 100 años.
- Quiero que se acaben las guerras.

B. Tu profesor va a leer los deseos de tus compañeros. ¿Sabes quién los ha escrito? Luego, entre todos, decidid si son realizables o no.

- *"Quiero que se acaben las guerras."*
- *Eso lo ha escrito Tony.*
- *¡Muy bien!*
- *A mí me parece imposible que eso pase, creo que siempre habrá guerras.*
- *Pues yo creo que...*

10. ¿CUÁNDO CAMBIARÁ EL MUNDO?

A. Piensa cuándo ocurrirán las siguientes cosas.

Habrá paz en el mundo cuando...

Se acabará el hambre en el mundo cuando...

Las grandes ciudades serán más seguras cuando...

Los hombres y las mujeres tendrán los mismos derechos cuando...

Habrá más trabajo cuando...

B. Ahora comentad vuestras respuestas en pequeños grupos. ¿Estáis de acuerdo? ¿Sois optimistas sobre el futuro?

- *Yo creo que el hambre se acabará pronto, cuando los científicos encuentren nuevos alimentos.*
- *Pues yo no lo creo...*

11. UNA CARTA AL PRESIDENTE

A. Elige uno de los siguientes lugares y comenta a tus compañeros un problema que crees que tiene.

- el país
- el barrio
- la ciudad
- la escuela

- *Yo elijo la ciudad...*
- *¿Y de qué problemas vas a hablar?*
- *De la suciedad de las calles, por ejemplo, o del ruido...*

B. Escribe una carta a la persona o personas responsables exponiendo tu visión del problema y proponiendo una solución.

C. Exponed todas las cartas y buscad...

- cuál es la que trata el problema más importante.
- cuál da la mejor solución al problema.
- cuál es la más original.
- cuál es la más convincente.
- cuál firmaríais todos.

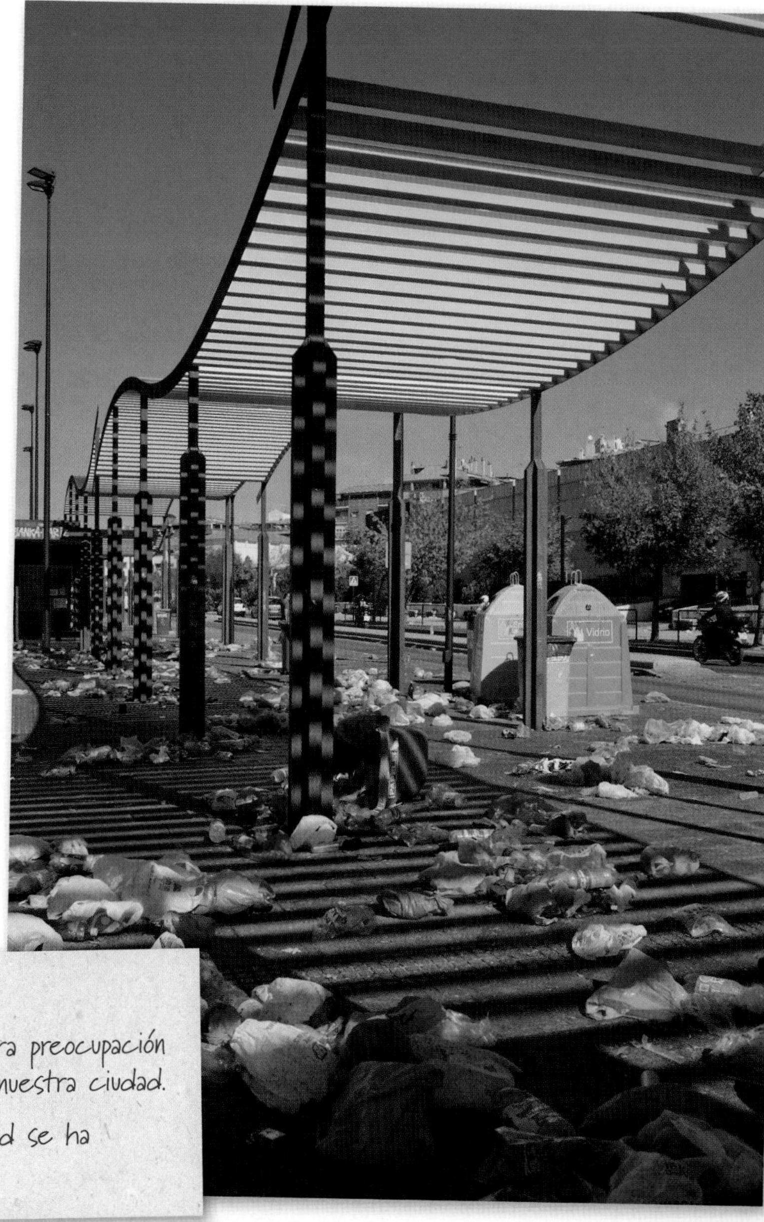

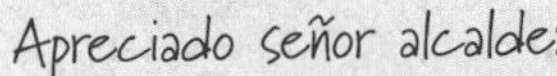

Apreciado señor alcalde:

Nos dirigimos a usted para manifestarle nuestra preocupación por el estado de suciedad de las calles de nuestra ciudad.

Hace ya unos años que el centro de la ciudad se ha convertido en un lugar...

12. POESÍA SOCIAL, POESÍA POLÍTICA P. 117, EJ. 16-17; P. 118, EJ. 19-20

A. ¿Creéis que la poesía puede influir en la vida política de un país? Comentadlo.

POESÍA PARA CAMBIAR EL MUNDO

En diversos momentos de la historia de España y de América Latina, los intelectuales han levantado su voz contra la injusticia, especialmente durante las dictaduras. Periodistas, músicos, pintores, dramaturgos… y poetas. El argentino Gelman, el uruguayo Benedetti, el nicaragüense Cardenal, el español Celaya y muchos otros han usado la poesía a favor de la justicia y de la democracia.

Gabriel Celaya

- Nace en Hernani (España) en 1911.
- De 1927 a 1935 vive en la Residencia de Estudiantes de Madrid, donde conoce a García Lorca. Hace estudios de Ingeniería.
- En 1946 funda la colección de poesía *Norte*. Abandona la ingeniería y su cargo en la empresa familiar.
- En los años 50, en plena dictadura franquista, publica sus obras más sociales: *Lo demás es silencio* y *Cantos Iberos*. Su ideal es una poesía no elitista, "para transformar el mundo".
- En 1956 gana el Premio de la Crítica por *De claro en claro*.
- Entre 1977 y 1980 se publican sus *Obras Completas*.
- Muere en 1991 en Madrid.

La poesía es un arma cargada de futuro

(…)
Poesía para el pobre, poesía necesaria /
como el pan de cada día, /
como el aire que exigimos trece veces por minuto, /
para ser y en tanto somos dar un sí que glorifica. /
Porque vivimos a golpes, porque apenas si nos dejan
decir que somos quien somos, /
nuestros cantares no pueden ser sin pecado un adorno. /
Estamos tocando el fondo. /
Maldigo la poesía concebida como un lujo
cultural por los neutrales /
que, lavándose las manos, se desentienden y evaden. /
Maldigo la poesía de quien no toma partido hasta
mancharse. /
(…)
Me siento un ingeniero del verso y un obrero /
que trabaja con otros a España en sus aceros. /
Tal es mi poesía: poesía-herramienta /
a la vez que latido de lo unánime y ciego. /
Tal es, arma cargada de futuro expansivo
con que te apunto al pecho. /
No es una poesía gota a gota pensada. /
No es un bello producto. No es un fruto
perfecto. /
(…)

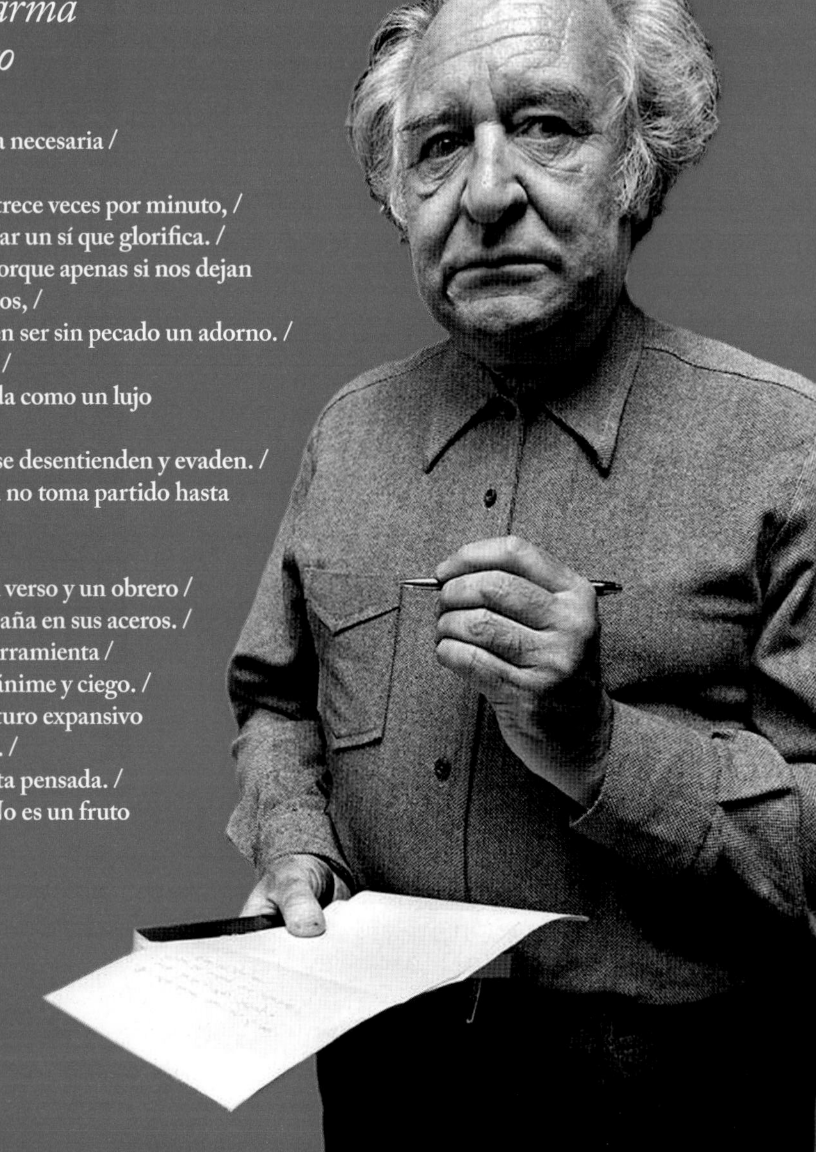

2

VÍDEO

aula.difusion.com

Ernesto Cardenal

- Nace en Granada (Nicaragua) en 1925.
- De 1942 a 1946 estudia Literatura en México.
- De 1947 a 1949 continúa sus estudios en Nueva York.
- En 1950 vuelve a Nicaragua y en 1954 participa en la Revolución de Abril de 1954 contra el dictador Anastasio Somoza. La revolución no triunfa y Cardenal pierde a muchos de sus compañeros y amigos.
- En 1957 entra en una abadía trapense en Estados Unidos.
- En 1965 funda una comunidad cristiana en el lago Cocibolca, donde escribe *El Evangelio de Solentiname*.
- En julio de 1979, tras el triunfo de la Revolución Sandinista, es nombrado ministro de Cultura. Ocupa el cargo hasta 1987.
- Actualmente es presidente honorífico de la Red Internacional de Escritores por la Tierra (RIET).

Epitafio para Joaquín Pasos

(...)
La Guardia Nacional anda
buscando a un hombre. /
Un hombre espera esta noche
llegar a la frontera. /
El nombre de ese hombre
no se sabe. /
Hay muchos hombres más
enterrados en una zanja. /
El número y el nombre de esos
hombres no se sabe. /
Ni se sabe el lugar ni el
número de las zanjas. /
La Guardia Nacional anda
buscando a un hombre. /
Un hombre espera esta noche
salir de Nicaragua.

B. Leed los dos poemas. ¿Qué os parecen? ¿Os gustan?

C. ¿Cuál es el tema principal de cada una de las dos poesías? Relacionadlas con algún momento o dato de las biografías de Cardenal y Celaya.

D. Busca en internet algún poema de tema social o político escrito en vuestra lengua y escribe un pequeño texto en español para presentar el poema. Explica quién lo escribió y cuándo, de qué trata, qué intención tiene y por qué te gusta.

EN CONSTRUCCIÓN

¿Qué te llevas de esta unidad?

Lo más importante para mí:

....

....

Palabras y expresiones:

....

....

Algo interesante sobre la cultura hispana:

....

....

Quiero saber más sobre...

....

....

Cómo voy a recordar y practicar lo que he aprendido:

....

....

3 EL TURISTA ACCIDENTAL

EMPEZAR

1. DESTINOS TURÍSTICOS DE COLOMBIA

P. 120, EJ. 1; P. 124, EJ. 15, 18-19

A. Esta web destaca cinco destinos turísticos de Colombia. ¿Cuáles de los siguientes tipos de turismo crees que se pueden hacer en cada destino? ¿Por qué?

- turismo de aventura
- turismo de sol y playa
- turismo cultural
- turismo rural
- turismo gastronómico
- turismo urbano
- turismo deportivo

- *¿Dónde se puede hacer turismo deportivo?*
- *Aquí, en el cañón de Chicamocha se puede practicar* rafting.

13-15 **B.** Vas a escuchar a tres personas que fueron de viaje a Colombia. ¿A cuál de los destinos crees que fueron?

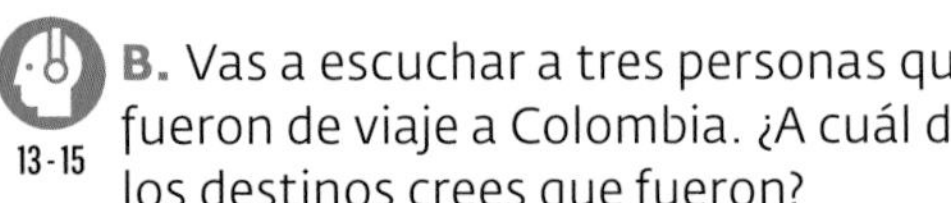

1. ....
2. ....
3. ....

www.viajando_con_aula.com/Colombia

Cartagena de Indias

Esta ciudad, declarada Patrimonio de la Humanidad por la UNESCO, es el destino predilecto de los amantes de la arquitectura colonial. En la región hay playas increíbles y la ciudad cuenta con todos los servicios para los turistas que buscan placer y descanso.

EN ESTA UNIDAD VAMOS A

CONTAR ANÉCDOTAS REALES O INVENTADAS

RECURSOS COMUNICATIVOS

- recursos para contar anécdotas
- recursos para mostrar interés al escuchar un relato
- hablar de causas y consecuencias

RECURSOS GRAMATICALES

- algunos conectores para hablar de causas y consecuencias: **como**, **porque**, **así que**, **de modo que**, etc.
- el pretérito pluscuamperfecto de indicativo
- combinar los tiempos del pasado en un relato (pretérito perfecto, pretérito indefinido, pretérito imperfecto, pretérito pluscuamperfecto)

RECURSOS LÉXICOS

- viajes
- tipos de turismo

5 destinos turísticos de moda

Bogotá

La capital de Colombia es un destino perfecto para los amantes del arte, ya que cuenta con importantes museos y festivales (como el famoso Festival Iberoamericano de Teatro). La ciudad tiene también una amplia oferta de restaurantes, bares y discotecas.

"Triángulo del café"

Aquí se cultiva el mejor café del mundo. Un lugar con bellos paisajes, en el que los amantes del café podrán hospedarse en haciendas tradicionales, pasear por las plantaciones, ver el proceso de producción del café y conocer la cultura cafetera.

El Amazonas

Destino ideal para los turistas que quieren estar en contacto con la naturaleza, para los interesados en la fauna y la flora y para los que desean conocer la cultura de las comunidades indígenas.

Cañón de Chicamocha

Se encuentra en Santander, una región de montañas y ríos situada en el noreste del país. El cañón de Chicamocha es el más largo de América del Sur y es el destino idóneo para los amantes del rafting.

2. VACACIONES

A. Completa este cuestionario sobre tu manera de viajar. Puedes marcar más de una opción. Luego, compara tus respuestas con las de un compañero y toma nota de las suyas.

¿QUÉ TIPO DE VIAJERO ERES?

Parque Nacional del Aconcagua. Argentina

Hotel de lujo en Tenerife. España

1. Cuando decides hacer un viaje, ¿qué haces?
- Voy a una agencia de viajes y comparo precios.
- Busco en internet y lo organizo yo.
- Pregunto a amigos o a conocidos.
- Siempre voy de vacaciones al mismo sitio.

2. Cuando preparas un viaje, quieres...
- planificarlo todo con mucha antelación.
- que otra persona organice el viaje. Tú te adaptas.
- tener las cosas organizadas, pero no todo.
- poder decidir las cosas sobre la marcha e improvisar.

3. Prefieres viajar...
- con un grupo numeroso.
- con la familia.
- con amigos
- solo/-a

4. ¿Qué sueles comprar en tus viajes?
- Productos típicos (artesanía, gastronomía, ropa...)
- Música.
- *Souvenirs*.
- No me gusta comprar nada.

5. ¿Qué es lo que más te gusta hacer en tus vacaciones?
- Perderme por las calles; descubrir cómo vive la gente.
- Salir de noche y conocer la vida nocturna.
- Descansar cerca del mar o en la montaña.
- Visitar museos, iglesias, monumentos.

6. ¿Qué tipo de alojamiento prefieres?
- Acampar en plena naturaleza.
- Alquilar un apartamento.
- Hospedarme en una casa rural.
- Alojarme en un hotel.

7. Lo que nunca falta en tu maleta es...
- un buen libro.
- una plancha.
- una cámara.
- un botiquín.

8. ¿Qué te gusta comer cuando viajas?
- Como las cosas típicas, pero solo en buenos restaurantes.
- Lo mismo que en mi país.
- Pruebo la comida del lugar y como de todo.
- Me llevo la comida de casa.

B. Ahora, interpreta las respuestas de tu compañero e intenta explicar a los demás cómo es.

- independiente
- imprudente
- original
- previsor/a
- aventurero/-a
- organizado/-a
- valiente
- tradicional
- curioso/-a
- deportista
- prudente
- familiar

- *Tengo la impresión de que Gina es muy previsora, siempre prepara los viajes con muchísima antelación y...*

3. ¿BUEN VIAJE? P. 120, EJ. 2

A. Lee los testimonios de unos viajeros publicados en la web de viajes **trotamundos.es**. Luego, lee estas frases y decide quién tuvo estas experiencias.

1. El viaje estuvo muy bien organizado.
2. El alojamiento no era como les habían prometido.
3. Le perdieron las maletas y nunca las recuperó.
4. Tuvieron suerte con el hotel.
5. Tuvieron mala suerte con el guía.
6. Las condiciones reales del viaje no eran las que se anunciaban.
7. Estuvieron a punto de perder el avión.
8. Tuvieron suerte con el vuelo: les subieron de clase.
9. Hicieron una reclamación pero no recibieron compensación.
10. Encontraron el viaje en el mismo buscador.

FOROS DE LOS VIAJEROS >> EXPERIENCIAS

Emilio Jun 27 a las 17:31
El año pasado contraté un viaje a Roma a través de vuelatours.com. Habíamos reservado un hotel de cuatro estrellas en el centro (en la web parecía muy bonito) pero cuando llegamos, nos llevaron a uno de dos estrellas que estaba a unos 15 kilómetros del Coliseo. Además, el hotel estaba en condiciones lamentables: no había calefacción y las habitaciones daban a una calle muy ruidosa. Cuando volvimos a España, hicimos una reclamación a la agencia, pero no quisieron asumir ninguna responsabilidad.

1 comentario:
Pues mi novio y yo hicimos un viaje hace unos meses con vuelatours y no tuvimos ningún problema... Estela Jun 27 a las 19:01

Abel Jun 28 a las 15:21
En un viaje de negocios a Estocolmo, la compañía aérea, Airtop, perdió mi equipaje. Cuando fui a reclamar, descubrieron que, por error, habían enviado mi maleta a China, pero prometieron enviármela a la mañana siguiente al hotel. Yo tenía una reunión importantísima al día siguiente. La maleta no llegó ni aquel día ni nunca, de modo que tuve que ir a la reunión con la misma ropa que el día anterior y sin afeitar. Además, no recibí ninguna indemnización.

1 comentario:
Esa compañía no es fiable, siempre da problemas. A mí me han perdido el equipaje dos veces y tampoco me llegaron nunca las maletas... Y, por supuesto, nunca te devuelven el dinero. Román Jun 30 a las 00:31

Bruno Jul 12 a las 22:30
En agosto fuimos de luna de miel a Zanzíbar. No nos gustan los viajes organizados, pero aprovechamos una oferta que nos pareció interesante. Todo funcionó de maravilla: las excursiones salieron puntuales, el guía era encantador y tuvimos buen tiempo. Del hotel, ninguna queja: lo habían reformado unos meses antes y todo estaba como nuevo. Además, el servicio era excelente.

Federica y Sofía Ago 22 a las 21:46
Como viaje de fin de curso, queríamos hacer una ruta por Marruecos, así que contratamos un viaje con Surman Tours. Se trataba, en teoría, de un viaje organizado específicamente para nosotros con un guía. Una vez allí, nos encontramos con un autocar viejo e incómodo, y con treinta personas más. El guía no hablaba ni francés ni árabe y, encima, al tercer día se puso enfermo y tuvimos que hacer el resto del viaje solos. Fue lamentable.

Montse Ago 28 a las 11:36
Hace dos años, mi novio y yo fuimos de vacaciones a Nueva York. Llegamos con el tiempo justo al aeropuerto y ya habían empezado a embarcar. Como resulta que había *overbooking*, la compañía decidió cambiar de sitio a algunos pasajeros. Al final, hicimos el viaje en *business* y no en turista. Fue el viaje más cómodo de mi vida.

B. Y tú, ¿has tenido experiencias parecidas alguna vez?

- *Yo, una vez, tuve que pasar dos días en el aeropuerto porque había huelga de controladores.*
- *¿Ah, sí? ¡Qué rollo!, ¿no? Pues yo...*

4. EQUIPAJE EXTRAVIADO

P. 120, EJ. 3; P. 121, EJ. 4-5; P. 123, EJ. 13-14

16

A. Vas a escuchar a unas amigas que comentan una anécdota. Marca qué frase la resume mejor.

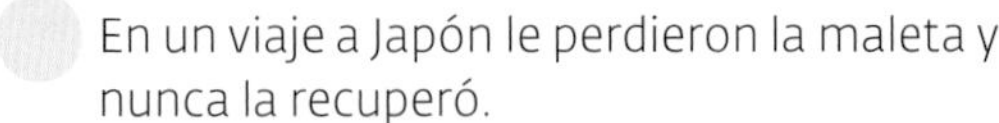

- En un viaje a Japón le perdieron la maleta y nunca la recuperó.
- En un viaje a Japón le perdieron la maleta y se tuvo que poner la ropa de sus amigas.

B. Aquí tienes la transcripción de la conversación. Léela y vuelve a escuchar. En negrita aparecen marcados los recursos que utiliza la interlocutora. ¿Qué hace en cada caso?

1. Reacciona expresando sentimientos, sorpresa, alegría...
2. Hace preguntas y pide más información.
3. Repite las palabras de la interlocutora.
4. Da la razón o muestra acuerdo.
5. Acaba las frases de la interlocutora.

- • A mí una vez me perdieron las maletas en un viaje.
- ○ **¿Ah, sí? ¡Qué rabia!, ¿no?**
- • Pues sí. Resulta que con los de la universidad decidimos hacer el viaje de fin de curso a Japón. Cogimos el avión, y bueno, cuando llegamos, todo el mundo recogió sus maletas y yo, pues esperando y esperando y nada.
- ○ **¡Qué rollo!**
- • Y digo: "Bueno, no sé, ahora saldrán". Pero no. Fui a preguntar y me dijeron que las maletas habían ido en otro avión... ¡A Cuba!
- ○ **¡A Cuba!**
- • Sí, sí.
- ○ **¿Y qué hiciste?**
- • Bueno... Pues... En realidad, no podía hacer nada, de modo que me fui al hotel con los demás y a esperar. ¡Tardaron tres días en devolvérmelas!
- ○ **¿Tres días? ¡Qué fuerte!**
- • Sí, y claro, yo tenía toda la ropa en la maleta. Así que los primeros días tuve que pedir cosas a mis amigas, ¿no?: camisetas, bañadores, ropa interior... de todo, ¿sabes?
- ○ **Ya, claro. Eso o ir desnuda.**
- • Menos mal que al final llegó la maleta porque, hija, como ninguna de mis amigas tiene mi talla...
- ○ **...ibas todo el día disfrazada, ¿no? ¡Menos mal!**
- • Sí, menos mal. Total, que me lo pasé fatal durante varios días, sin saber qué ponerme, y cuando llegó mi maleta me puse más contenta...

C. Vuelve a leer la conversación y fíjate en los elementos subrayados. Sirven para organizar el relato. Clasifícalos en esta tabla.

EMPEZAR O PRESENTAR UNA INFORMACIÓN NUEVA → 	
TERMINAR O PRESENTAR EL RESULTADO DE LO RELATADO → 	
MANTENER LA ATENCIÓN O EL TURNO DE PALABRA → 	

5. METER BAZA

A. Anabel le cuenta a su amiga Clara lo que le sucedió ayer. Completa sus intervenciones con las expresiones que creas más adecuadas.

¿Qué? | ¡Menos mal! | ¿Y qué hiciste? | ¿Ah, sí? ¿Y por qué? ¿Qué pasó? | Ya | ¡Qué mala suerte! | ¡No!

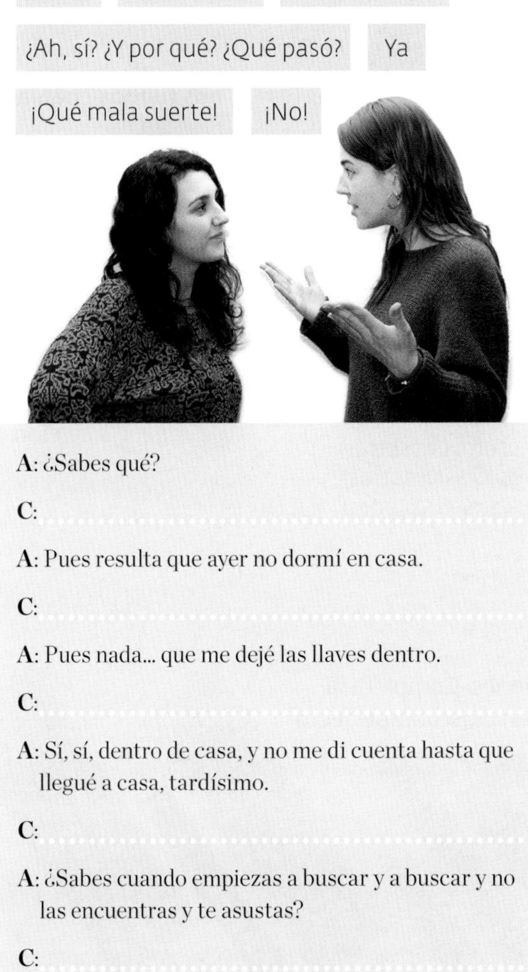

A: ¿Sabes qué?

C: ....

A: Pues resulta que ayer no dormí en casa.

C: ....

A: Pues nada... que me dejé las llaves dentro.

C: ....

A: Sí, sí, dentro de casa, y no me di cuenta hasta que llegué a casa, tardísimo.

C: ....

A: ¿Sabes cuando empiezas a buscar y a buscar y no las encuentras y te asustas?

C: ....

A: Bueno. Yo vivo con un amigo, ¿sabes? Entonces, empecé a llamar al timbre y mi amigo, nada, que no me oía.

C: ....

A: Así estuve una hora y nada... Al final llamé por teléfono a una amiga que vive cerca y he dormido allí toda la noche.

C: ....

A: Sí, menos mal, porque ya no sabía qué hacer.

17 **B.** Escucha y comprueba.

6. ¿DE QUÉ VA? P. 121, EJ. 6; P. 122, EJ. 7

A. Lee los mensajes de móvil que algunos viajeros han enviado a sus amigos y familiares. Relaciónalos con las fotos de los lugares que aparecen debajo.

1
Chats
Ayer cerraron las pistas, **así que** hicimos una excursión por la montaña. ¡Fue genial! 14:05
2
Chats
Al final no hicimos la excursión. **Como** hacía mucho calor y Juan no se encontraba bien, nos quedamos en el hotel. 09:25
3
Chats
Queríamos comprar un tapiz, pero los que nos gustaban eran caros, **de modo que** al final no hemos comprado nada. 23:05
4
Chats
¡Hemos llegado tarde y no hemos podido ver la catedral **porque** la habían cerrado! ¡Luisa está enfadadísima! 17:18

Cerro Capilla en Bariloche, Argentina

Mercado de artesanía en Cusco, Perú

Toledo, España

Hotel en Puerto Iguazú, Misiones, Argentina

B. Fíjate en los conectores marcados en negrita. ¿Cuáles sirven para presentar una causa? ¿Cuáles sirven para presentar una consecuencia?

C. Piensa en un viaje que hiciste. Escribe cuatro mensajes contando experiencias que viviste. En cada mensaje tienes que usar uno de los conectores del apartado A.

7. ANTES O DESPUÉS + P. 122, EJ. 8-9

A. Responde a las preguntas.

	SÍ	NO
1. ¿Vieron a Juan?		
a. Cuando llegó Juan, **nos fuimos** del cine.		
b. Cuando llegó Juan, **nos habíamos ido** del cine.		
2. ¿Viajaron juntos?		
a. Cuando nos conocimos, **hicimos** muchos viajes.		
b. Habíamos hecho muchos viajes cuando nos conocimos.		
3. ¿Se casaron Andrés e Inés en España?		
a. Cuando Andrés volvió a España **se casó** con Inés.		
b. Cuando Andrés volvió a España **se había casado** con Inés.		

B. Fíjate en los dos tiempos que están en negrita en las frases anteriores. ¿Entiendes cuándo usamos uno u otro? Luego lee estas frases y marca cuál de los dos tiempos es más adecuado.

1. Al principio no reconocí a Pablo porque no lo **vi** / **había visto** desde la escuela.
2. Cuando salimos del teatro, **nos fuimos** / **habíamos ido** a cenar.

C. Algunas de las frases anteriores están en pretérito pluscuamperfecto. ¿Sabes cómo se forma este tiempo?

	PRET. IMPERFECTO DE HABER	PARTICIPIO
(yo)	había	
(tú)	....	habl**ado**
(él/ella/usted)	había	com**ido**
(nosotros/nosotras)	....	viv**ido**
(vosotros/vosotras)	....	
(ellos/ellas/ustedes)	habían	

8. EL VUELO YA HABÍA SALIDO

Lucía cuenta lo que les pasó a ella y a Óscar en sus últimas vacaciones. Completa la narración con verbos conjugados en imperfecto, en indefinido o en pluscuamperfecto.

Junio
Unos amigos les recomiendan cuervoviajes.com.
1 de Julio
Contratan unas vacaciones a Orlando con cuervoviajes.com.
3 de Agosto
Hacen la primera escala en Ámsterdam.
Al llegar a Ámsterdam les dicen que hay *overbooking*.
Esperan dos horas.
Consiguen embarcar y vuelan a Detroit, donde tienen que hacer la segunda escala.
Sale el vuelo de Detroit a Orlando.
Llegan a Detroit.
Tienen que coger el próximo vuelo a Orlando. Consecuencia: pierden un día de estancia en Orlando y una noche de hotel.
15 de agosto
Reclaman a la agencia y a la compañía aérea: la agencia no quiere hacerse responsable de nada y la compañía aérea no asume ninguna responsabilidad.

"Hace unos meses .... un viaje a Orlando con cuervoviajes.com porque unos amigos nos lo .... A la ida teníamos que hacer dos escalas. Cuando .... a Ámsterdam, nuestra primera escala, nos dijeron que .... *overbooking*. .... que esperar más de dos horas, pero, al final, ... embarcar. Cuando .... a Detroit, la segunda escala, ... nuestra conexión porque el vuelo a Orlando ya .... Así que tuvimos que esperar en el aeropuerto y coger el siguiente avión a Orlando. A la vuelta, ... a la agencia y a la compañía aérea. Les dijimos que por culpa de estos incidentes .... un día de estancia en Orlando y una noche de hotel, y que queríamos una indemnización. Pero la agencia no .... hacerse responsable de nada y la compañía aérea no .... ninguna responsabilidad."

NARRAR ACONTECIMIENTOS PASADOS P. 122, EJ. 10

PRETÉRITO PLUSCUAMPERFECTO

Usamos el pretérito pluscuamperfecto para marcar que una acción pasada es anterior a otra ya mencionada.

	PRETÉRITO IMPERFECTO DE HABER	+ PARTICIPIO
(yo)	hab**ía**	
(tú)	hab**ías**	viaj**ado**
(él/ella/usted)	hab**ía**	com**ido**
(nosotros/nosotras)	hab**íamos**	sal**ido**
(vosotros/vosotras)	hab**íais**	
(ellos/ellas/ustedes)	hab**ían**	

Cuando llegamos al hotel, no pudimos cenar porque habían cerrado la cocina.

23:30 h **23:00 h**

PRETÉRITO IMPERFECTO

En un relato, el imperfecto se suele usar para hablar de las circunstancias que rodean a otra acción, presentándolas como hechos no terminados.

Observa que, en un relato, el imperfecto no es independiente. La narración avanza gracias a las acciones referidas en indefinido o perfecto. El imperfecto añade información sobre las circunstancias.

Fuimos al aeropuerto en autobús
Llegamos muy tarde
Perdimos el avión
Había mucho tráfico
El aeropuerto **estaba** lleno de gente
Había *overbooking*

REFERENCIAS Y RELACIONES TEMPORALES EN EL PASADO

Aquel día / mes / año
Aquella semana / mañana / tarde / noche
Al día / mes / año siguiente
A la semana / mañana / tarde / noche siguiente
El día / mes / año anterior
La mañana / tarde / noche / semana anterior

Aquel día *estuvimos estudiando hasta tarde.* ***Al día siguiente*** *teníamos un examen muy importante.*

RECURSOS PARA CONTAR ANÉCDOTAS

Cuando contamos una anécdota, utilizamos numerosos recursos. El que la cuenta intenta captar y mantener la atención de su interlocutor. Este suele cooperar dando muestras de atención y de interés.

EMPEZAR UNA ANÉCDOTA

Para empezar a narrar la historia, podemos usar **resulta que** o **una vez**.
Resulta que *un día estábamos en Lugo y queríamos salir...*
Yo ***una vez*** *me quedé dos horas encerrado en un baño.*

Para situar una anécdota en el tiempo, utilizamos:

Un día / Una noche...	**Ayer / El mes pasado...**
Hace unos meses	**El otro día / La otra tarde...**

También solemos usar el verbo **pasar**.
Hace tiempo ***me pasó*** *una cosa increíble. Estaba en...*

TERMINAR UNA ANÉCDOTA

Para terminar una anécdota, presentando el resultado de lo relatado anteriormente, solemos usar recursos como:

Al final *fuimos en tren porque no había plazas en el avión.*
Total, que *se fueron todos y tuve que pagar yo la cuenta.*

MOSTRAR INTERÉS AL ESCUCHAR UNA ANÉCDOTA

El interlocutor reacciona haciendo preguntas, pidiendo detalles.

¿Y qué hiciste?	**¿Qué pasó?**	**¿Y cómo terminó?**

Dando la razón o mostrando acuerdo.

Claro.	**Normal.**	**Lógico.**	**Ya.**

O con expresiones de sorpresa, alegría...

¿Ah, sí?
¡No!
¡Menos mal!
¡No me digas!
¡Qué rabia / horror / rollo / pena / bien / mal / extraño...!, (¿no?)
¡Qué mala / buena suerte!, (¿no?)

También podemos mostrar interés mediante la risa, repitiendo las palabras del otro o acabando las frases del que habla (normalmente con otra entonación).

HABLAR DE CAUSAS Y CONSECUENCIAS

Para presentar la causa, usamos **como** y **porque**.
Como *no tenía dinero, me quedé en casa.*
Nos quedamos en casa ***porque*** *no teníamos dinero.*

Para presentar las consecuencias, usamos **así que** o **de modo que**.
Estábamos agotados, ***así que*** *decidimos no salir.*
No reservé con tiempo, ***de modo que*** *me quedé sin plaza.*

9. LA VIDA DE VICENTE FERRER P. 123, EJ. 12

A. Vicente Ferrer fue un cooperante y activista español. En parejas, fijaos en los textos y completad las frases.

Lo expulsaron de la India en 1968, porque algunas personas influyentes no estaban de acuerdo con su labor. Más de 30000 personas hicieron una marcha de 250 km de Manmad hasta Mumbai para protestar por su expulsión y exigir su regreso. Indira Ghandi reconoció la importante labor de Vicente Ferrer y le permitió regresar al país.

En 1944 entró en la Compañía de Jesús.

Vicente Ferrer aprendió hindi, telugu y maratí; eso le ayudó a acercarse a la población india.

En 1952 se fue a vivir a la India. Era la primera vez que viajaba como misionero.

En 1996 creó con su mujer la Fundación Vicente Ferrer.

Vicente Ferrer luchó en la Guerra Civil con el bando republicano y, tras la derrota, estuvo en el campo de concentración de Argelès-sur-Mer.

En 1970 dejó la Compañía Jesús. Ese mismo año se casó con la periodista Anne Perry.

1. Con menos de 20 años, estuvo en el campo de concentración de Argelès-sur-Mer (en Francia), porque ....
2. Llegó a la India en 1952, como misionero jesuita. Nunca antes ....
3. Tuvo que volver a España en 1968 porque ....
4. Unos meses después logró volver a la India, gracias a la presidenta Indira Ghandi, que ....
5. En 1996 creó la Fundación Vicente Ferrer con la periodista Anne Perry, con quien ....
6. Construyó muchos hospitales, escuelas y viviendas con la fundación que ....
7. Como .... logró comunicarse muy bien con la población.
8. Murió en la India en 2009: había vivido allí durante más de 40 años.

B. Busca más información sobre Vicente Ferrer y compártela con tus compañeros.

10. A MÍ, UNA VEZ...

En grupos de tres, cada uno elige una anécdota y se la cuenta a sus compañeros con la ayuda de estos recursos. Los otros escuchan y reaccionan. Podéis grabaros.

porque | resulta que | y entonces | total, que | así que | ¿no? | ¿Sabes? | al final | como | de modo qué

1 Hace un tiempo / En un parque / **Ver** a una chica y a un chico peleándose / La chica **estar** muy asustada / **Llamar** a la policía / **Estar rodando** una película

2 El otro día / **Llevar** solo 6 euros / **Decidir** comprar un billete de lotería / **Ganar** un premio de 600 euros / **Invitar** a unos amigos a una barbacoa / **Pasarlo** muy bien

3 Una vez / **Encontrar** a alguien en un tren / **Empezar a hablarle y preguntarle** por su vida / **Pensar** que lo conocía / La otra persona **mirarme** con cara rara / **Parecerse** mucho a un amigo

11. CUENTA, CUENTA

En parejas. Averigua si a tu compañero le han pasado estas cosas. En caso afirmativo, ¿qué puedes preguntarle?

1. Perder un avión / tren...
2. Olvidarse las llaves
3. Enamorarse a primera vista
4. Conocer a una persona famosa
5. Encontrar algo de valor en la calle
6. Tener que dormir en la calle
7. Ir a una comisaría de policía
8. Pasar mucho miedo
9. Tener una experiencia paranormal

PARA COMUNICAR

¿Cuándo fue?
¿Dónde / Con quién estabas?
¿Adónde ibas?
¿Por qué?
¿Qué pasó después / al final?
¿Qué habías hecho antes?

12. VACACIONES INFERNALES P. 124, EJ. 16-17; P. 125, EJ. 20-22

PEL **A.** Vamos a imaginar unas vacaciones desastrosas. En parejas, mirad el programa de este viaje a San Martín (un lugar imaginario) y escribid un texto contando todo lo que salió mal.

Visite... SAN MARTÍN

DÍA 1
09:00 Traslado al puerto en autobús
12:00 Salida del vuelo 765
17:00 Llegada y traslado al hotel en coche típico de la zona
18:30 Cóctel de bienvenida en el hotel Tortuga Feliz (de 4 estrellas)
20:00 Baño nocturno en la piscina
22:00 Cena al aire libre

DÍA 2
08:00 Desayuno
10:00 Excursión en camello
12:00 Visita comentada de las ruinas de Santiago
14:00 Comida en el oasis de Miras. Alimentos naturales: cocos, dátiles...
17:00 Paseo por las dunas de Fraguas
19:00 Vuelta al hotel en furgoneta
21:00 Cena

DÍA 3
09:00 Desayuno
10:00 Actividades lúdicas: gimnasia acuática con instructor, masajes con barro caliente del desierto de Fraguas
12:00 Paseo a caballo por el desierto
14:00 Comida. Degustación de productos de la zona: dátiles, hormigas, escorpiones... Tarde libre

DÍA 4
09:00 Desayuno
10:00 Excursión a las playas de Lama (se recomienda llevar antimosquitos)
14:00 Comida en la playa
17:00 Visita en helicóptero al gran cañón de Santa Cruz para ver sus impresionantes puestas de sol
20:00 Cena de despedida en el hotel

B. Publicad vuestros textos en una red social o en un blog. Luego, leed los textos de vuestros compañeros. ¿Quién tuvo las peores vacaciones? Podéis hacer una votación.

13. EL VIAJERO Y LOS OTROS

P. 123, EJ. 11

A. Lee este fragmento de un cuento de Augusto Monterroso. ¿Qué crees que harán los indígenas con Fray Bartolomé? Comentadlo en grupos de tres y escribid un posible final para el texto.

B. Busca el cuento en internet y lee el final. ¿Era como te lo imaginabas?

C. Ahora lee de nuevo el texto completo y decide si estas frases son verdaderas o falsas.

	V	F
Los indígenas encontraron a fray Bartolomé perdido en la selva.		
Fray Bartomé llevaba ya unos años en Guatemala.		
Fray Bartolomé no hablaba las lenguas indígenas.		
Los indígenas no sabían nada sobre los eclipses.		
Al final, fray Bartolomé se salvó.		

D. ¿Cuál crees que es el mensaje del cuento? Resúmelo en unas líneas.

El eclipse

Cuando fray Bartolomé Arrazola se sintió perdido aceptó que ya nada podría salvarlo. La selva poderosa de Guatemala lo había apresado, implacable y definitiva. Ante su ignorancia topográfica se sentó con tranquilidad a esperar la muerte. Quiso morir allí, sin ninguna esperanza, aislado, con el pensamiento fijo en la España distante (...).

Al despertar se encontró rodeado por un grupo de indígenas de rostro impasible que se disponían a sacrificarlo ante un altar, un altar que a Bartolomé le pareció como el lecho en que descansaría, al fin, de sus temores, de su destino, de sí mismo.

Tres años en el país le habían conferido un mediano dominio de las lenguas nativas. Intentó algo. Dijo algunas palabras que fueron comprendidas.

Entonces floreció en él una idea que tuvo por digna de su talento y de su cultura universal y de su arduo conocimiento de Aristóteles. Recordó que para ese día se esperaba un eclipse total de sol. Y dispuso, en lo más íntimo, valerse de aquel conocimiento para engañar a sus opresores y salvar la vida.

-Si me matáis -les dijo- puedo hacer que el sol se oscurezca en su altura.

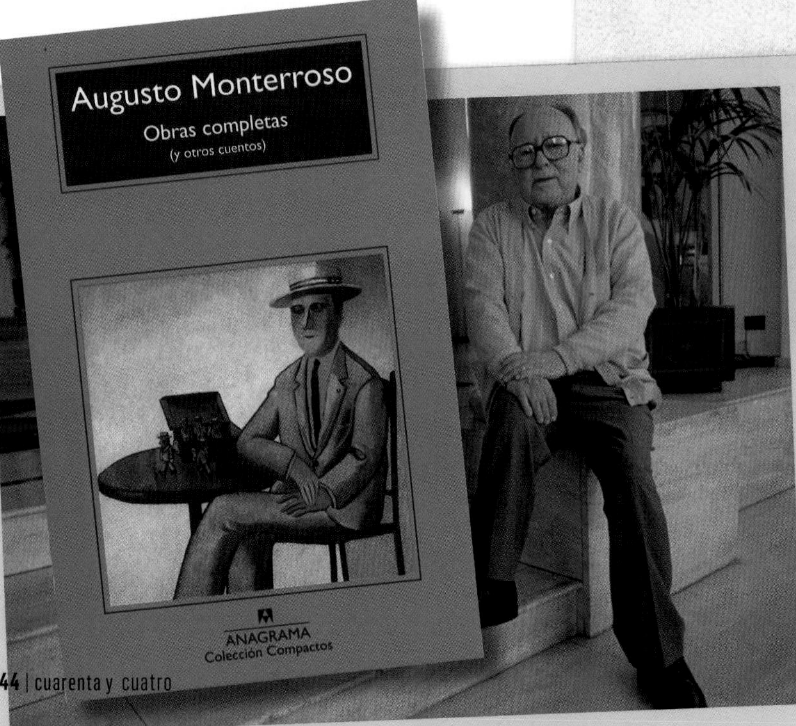

AUGUSTO MONTERROSO

Escritor guatemalteco nacido en Tegucigalpa (Honduras) en 1921. Participó en las revueltas contra el dictador Jorge Ubico y por eso se tuvo que exiliar en 1944 en México, país en el que vivió hasta su muerte en 2003. Monterroso escribió muchos relatos breves y es considerado uno de los maestros del microrrelato. El cuento "El eclipse" forma parte del libro *Obras completas y otros cuentos* (1959).

VÍDEO

aula.difusion.com

EN CONSTRUCCIÓN

¿Qué te llevas de esta unidad?

Lo más importante para mí:

....

....

Palabras y expresiones:

....

....

Algo interesante sobre la cultura hispana:

....

....

Quiero saber más sobre...

....

....

Cómo voy a recordar y practicar lo que he aprendido:

....

....

4 TENEMOS QUE HABLAR

➔ EMPEZAR

1. COMIDA DE NAVIDAD + P. 126, EJ. 1

A. Lee las viñetas y completa las frases con los nombres de los personajes del cómic.

RAMÓN Y TERESA. SON LOS PADRES DE MARÍA Y DE PAULA.

MARÍA Y FERNANDO

PAULA Y NICOLÁS

1. .... y .... no aguantan a ....
2. .... encuentra aburridas las historias de ....
3. .... no soporta las bromas de ....
4. .... cree que .... es muy pesada con algunos temas.
5. .... no entiende cómo .... soporta a ....

B. ¿Te recuerda en algo a situaciones que has vivido tú con tu familia?

EN ESTA UNIDAD VAMOS A

ESCRIBIR UNA DISCUSIÓN DE PAREJA PARA EL GUIÓN DE UNA PELÍCULA

RECURSOS COMUNICATIVOS

- expresar intereses y sentimientos
- hablar de las relaciones entre personas
- mostrar desacuerdo en diversos registros
- suavizar una expresión de desacuerdo
- contraargumentar

RECURSOS GRAMATICALES

- **me fascina / me encanta / odio / no aguanto... que** + subjuntivo
- **me fascina/n / me encanta/n odio / no aguanto...** + sustantivo / infinitivo

RECURSOS LÉXICOS

- verbos para expresar intereses, sentimientos y sensaciones
- manías
- recursos para mostrar desacuerdo
- adjetivos para describir el carácter de las personas

Ponte más gambas, cariño, que no estás comiendo nada.
¡Pero qué dices! Si están buenísimas y son muy frescas.
No, ¡están muy malas!

¿Sigues yendo a pescar todos los fines de semana?
Sí, y ahora estoy descubriendo el mundo de los anzuelos. Es un tema fascinante.
¿Fascinante? Pues a mí me parece un rollo.

El truco es saber hacerse imprescindible para la empresa. Yo, por ejemplo soy el único que...
Qué tío más creído. No sé cómo Paula lo aguanta...

Se lo consientes todo. Tienes que obligarlo a comer lo que tiene en el plato.
Ay, mamá... Estoy cansada de tus consejos. Hago lo que me parece, es mi hijo.

2. ADOLESCENTES P. 127, EJ. 7

A. Lee este texto sobre los adolescentes españoles. En parejas, proponed un posible título para el texto.

http://www.adolescencia/org.dif

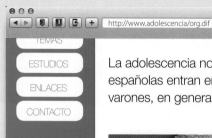

La adolescencia no llega a la misma edad a los niños y a las niñas. Actualmente, las niñas españolas entran en esta etapa entre los 9 y los 11 años, mientras que sus compañeros varones, en general, siguen siendo niños y haciendo cosas de niños hasta los 12 o 13 años.

Ellas

Con la adolescencia, cambian los gustos y las preferencias. Las niñas empiezan a preocuparse por su aspecto físico, por la ropa y por la moda en general. Les encanta ir de compras con sus amigas y, a menudo, se quedan a dormir en casa de alguna de ellas para pasar la noche charlando.

También comienzan a interesarse por los chicos, especialmente por los que son mayores que ellas, y a querer salir hasta tarde. Sus ídolos suelen ser las estrellas del cine y de la música y, en general, dejan de interesarles sus muñecas. Se pasan el día comunicándose con sus amigas y amigos con el móvil y en redes sociales.

Ellos

Estos cambios afectan también a los chicos, pero suelen llegar un poco más tarde. A los chicos adolescentes les interesan los deportes y los juegos de ordenador y sus ídolos son, en general, futbolistas y otros deportistas famosos. Normalmente solo se relacionan con otros chicos, y las chicas les producen sentimientos contradictorios, incluso de rechazo en algunos casos.

B. ¿Estás de acuerdo con lo que dice el texto? ¿Cómo fue tu adolescencia? ¿Te sientes reflejado? Cuéntaselo a la clase.

- *Yo, cuando tenía 12 años, empecé a tener malas notas en el cole. Discutía mucho con mis padres y...*

3. MANÍAS

P. 126, EJ. 2; P. 127, EJ. 3

A. Lee este texto sobre las manías. ¿Tienes alguna de esas manías u otras parecidas? ¿Conoces a personas que las tengan?

Nuestras pequeñas manías

Arturo ordena siempre su ropa en el armario por tipo de prenda y por colores. Él dice que es una costumbre, que siempre lo ha hecho así y que le gusta tener las cosas ordenadas. El problema es que se pone hecho una furia cuando su mujer le cambia una camiseta de lugar. Ella piensa que Arturo es un maniático, y así empiezan las discusiones…

Todos tenemos manías, actos que repetimos porque nos hemos acostumbrado a ellos y nos hacen sentir bien. A los otros les parecen costumbres absurdas e incluso molestas. Aunque es normal tener manías, no deben transformarse en obsesiones que no nos dejen vivir y que dificulten nuestra relación con los demás. Estas son algunas de las manías más comunes.

1. Manías de orden y posición. Algunas personas necesitan tener las cosas en un orden determinado para sentirse bien: colocar los objetos de forma simétrica en el escritorio, clasificar la comida en el frigorífico, poner los zapatos siempre en el mismo lugar... Otros tienen que sentarse siempre en el mismo sitio. Les provoca ansiedad entrar en el autobús o en el metro y ver que está ocupado el lugar en el que se sientan habitualmente. No soportan que alguien se siente en el lugar de la mesa en el que ellos comen y necesitan dormir siempre en el mismo lado de la cama… ¿Le suena alguna de estas manías?

2. Manías de comprobación. ¿No ha tenido nunca la necesidad de comprobar varias veces que ha apagado las luces, que ha cerrado bien el coche o que ha apagado el fuego de la cocina? A las personas con manías de comprobación les horroriza pensar que

podría suceder alguna desgracia por haber olvidado algo. Algunos incluso necesitan comprobar también si los demás (familiares, compañeros de trabajo, amigos, etc.) han hecho bien las cosas.

3. Manías higiénicas. Seguramente conoce a gente a la que le da asco comer cosas que otros han tocado antes con las manos, que no tocan nunca la barra del metro o del autobús, que limpian su silla antes de sentarse o que friegan la bañera cada vez que se duchan. Son personas con miedo a contagiarse. Generalmente, se lavan con mucha frecuencia o van al médico mucho más a menudo de lo habitual.

4. Manías de contar. Tener que contarlo todo (el número de camisetas guardadas en el armario, los bolígrafos que llevamos en el estuche, el número de peldaños de las escaleras, etc.) puede parecer absurdo, pero a muchas personas les tranquiliza hacerlo.

5. Manías relacionadas con la superstición. Se dice que hay cosas que traen mala suerte y hay personas que las evitan a toda costa: que la sal se derrame, romper un espejo, cruzarse con un gato negro, abrir el paraguas antes de salir a la calle… Pero algunas personas tienen también sus propias supersticiones. Creen que un día tuvieron suerte porque hicieron algo y necesitan repetir eso porque de lo contrario les sucederá algo malo: llevar amuletos, ponerse una determinada chaqueta, etc.

18-20

B. En un programa de radio han preguntado a los oyentes qué manías tienen. Vas a escuchar el testimonio de tres personas. Toma nota de sus manías. ¿En qué categoría de las que habla el artículo las clasificarías?

4. ODIO MENTIR A MIS AMIGOS + P. 127, EJ. 6; P. 128, EJ. 10; P. 130, EJ. 18-19

A. ¿Compartes algunas de estas opiniones? Márcalas. Puedes señalar varias sobre cada tema.

- **Estoy harto/-a** de las relaciones superficiales.
- **No me interesa** hacer nuevas amistades; ya tengo bastantes amigos.
- **Me apasiona** conocer gente nueva.

- **Me da mucha rabia** que alguien de otro país critique el mío.
- **Me horroriza** la gente que no acepta opiniones y costumbres distintas a las suyas.
- **Me fascina** conocer a personas de otras culturas.

- **No me gustan** las personas demasiado sinceras.
- **Odio** mentir a mis amigos. Nunca lo hago.
- **Me sienta fatal** que un amigo me mienta. Eso no lo perdono.

- **Me da pereza** hacer fiestas en mi casa.
- **Me encantan** las fiestas grandes, con mucha gente.
- **No me gusta** que me inviten a una fiesta si no conozco a nadie.

- **Me da miedo** viajar solo/-a.
- **Me sienta mal** que mis amigos se vayan de vacaciones y que no me pregunten si quiero ir con ellos.
- **No soporto** los viajes con grupos grandes de amigos.

- **Me encanta** hacer regalos. Soy muy detallista.
- **No me gusta nada** tener que hacer regalos.
- **No me importa** que se olviden de mi cumpleaños. Yo no recuerdo casi ninguno.

B. Compara tus respuestas con las de un compañero. ¿Coincidís en muchas cosas?

C. Fíjate en las expresiones que aparecen en negrita en las frases anteriores. Observa en qué casos van seguidas de **que** + subjuntivo. ¿Entiendes por qué?

D. ¿Qué sientes en estas situaciones? Completa estas frases y, luego, coméntalo con tus compañeros. ¿Coincidís en algo?

PARA COMUNICAR

me molesta (que)...
me da rabia (que)...
no me gusta (que)...
me da vergüenza (que)...
no soporto (que)...
me pone nervioso (que)...
me sienta fatal (que)...
me horroriza (que)...
odio (que)...

1. En el trabajo o en la escuela ....
2. En el cine ....
3. Cuando estoy durmiendo ....
4. Cuando estoy viendo la tele ....
5. En el metro o en el bus ....
6. Delante de desconocidos ....
7. En clase de español ....
8. En reuniones familiares ....

5. ¿ESTÁ ENFADADA? P. 130, EJ. 16-17

A. Lee estas conversaciones que mantiene Gloria con otras personas. En todas muestra desacuerdo con lo que le dicen. ¿Cómo lo hace? Subraya y observa cómo funcionan los recursos que usa.

- Lo siento, pero tenía un mes para poder cambiar el producto. Ahora ya no aceptamos devoluciones.
- ¿Cómo? ¿Que solo tenía un mes? ¡No puede ser!

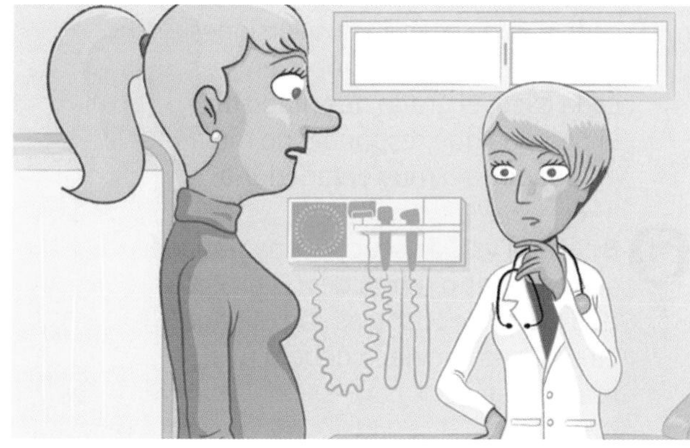

- ¡Vaya! Veo que ha engordado...
- ¿Engordado? No, yo diría que no. Estoy en mi peso de siempre, creo.

- Mira, Gloria, estoy cansado de hacerlo todo yo en casa. ¡Es que últimamente no haces nada, solo piensas en el trabajo!
- ¿Qué no hago nada? ¡Eso no es verdad! Te preparo el desayuno todos los días, siempre bajo la basura...

- Me han dicho que últimamente siempre llega usted tarde.
- Bueno, eso no es del todo cierto. La semana pasada tuve que llegar tarde dos días, pero porque tenía a mi madre en el hospital. Ya se lo comenté al jefe de Personal.

- Mamá, ¿te pasa algo? Estás muy rara...
- ¿Rara? ¡Qué va! Lo que pasa es que estoy muy cansada.

B. Imagina que el profesor os dice: **"Participáis poco en clase"**. ¿Cuántas maneras diferentes se os ocurren de expresar desacuerdo? Decidlas.

- *¿Poco? Yo diría que participo bastante...*

6. ¡PERO QUÉ DICES!

21-23

A. La entonación sirve para marcar un determinada actitud. Vas a escuchar tres pequeñas discusiones, cada una de ellas en dos versiones diferentes. Intenta anotar, en cada caso, el grado de enfado de la persona que responde: no muy enfadado/-a o muy enfadado/-a.

24

B. Ahora vais a escuchar una serie de acusaciones o reproches. El profesor dirá a cuál de vosotros van dirigidas. La persona señalada deberá reaccionar.

			☺	☹
1	• ¡Pero Juanjo! ¡A qué hora llegas! ¡Y seguro que no has hecho los deberes! ○ ¡Que sí, mamá, no seas pesada! Los he hecho en la biblioteca.	A		
		B		
2	• Pablo, ya no salimos nunca: ni al cine, ni a cenar, ni a pasear... ○ ¿Qué no salimos nunca? ¿No fuimos el sábado al teatro?	A		
		B		
3	• No te lo tomes mal, pero estás colaborando muy poco en este proyecto. ○ ¡Pero qué dices! ¡Si la semana pasada me quedé en la oficina hasta las tres de la mañana casi todos los días!	A		
		B		

7. PERO SI... P. 128, EJ. 9

A. Lee las siguientes conversaciones y completa el cuadro con las palabras en negrita.

Para introducir un argumento contrario a lo que nos acaban de decir mostrando sorpresa (porque contradice lo que esperamos): ....

Para introducir un argumento contrario a lo que nos acaban de decir: ....

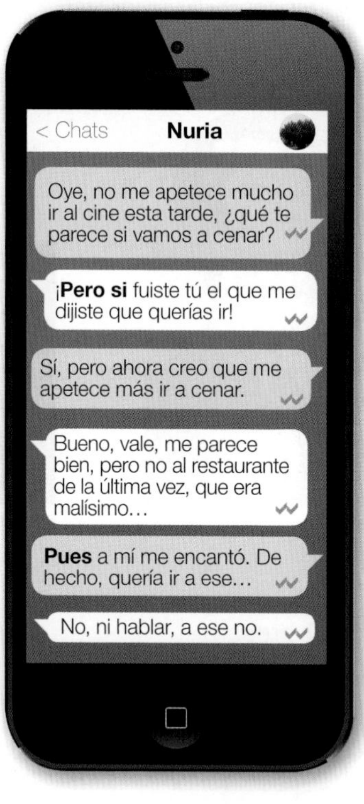

< Chats Nuria
Oye, no me apetece mucho ir al cine esta tarde, ¿qué te parece si vamos a cenar?
¡**Pero si** fuiste tú el que me dijiste que querías ir!
Sí, pero ahora creo que me apetece más ir a cenar.
Bueno, vale, me parece bien, pero no al restaurante de la última vez, que era malísimo...
Pues a mí me encantó. De hecho, quería ir a ese...
No, ni hablar, a ese no.

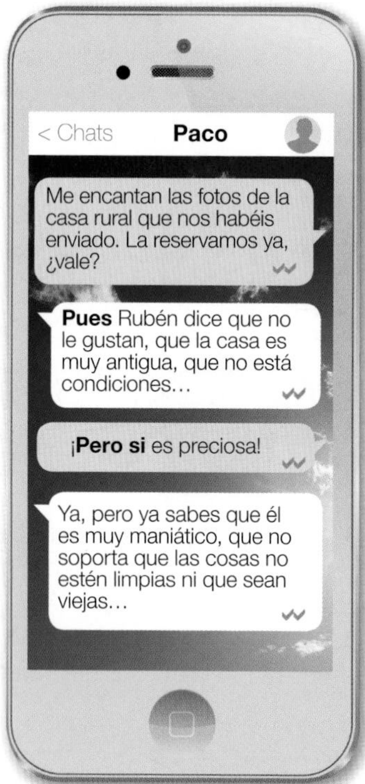

< Chats Paco
Me encantan las fotos de la casa rural que nos habéis enviado. La reservamos ya, ¿vale?
Pues Rubén dice que no le gustan, que la casa es muy antigua, que no está condiciones...
¡**Pero si** es preciosa!
Ya, pero ya sabes que él es muy maniático, que no soporta que las cosas no estén limpias ni que sean viejas...

B. Ahora imagina una reacción posible en las siguientes situaciones.

1
• Mónica se queja siempre de que no tiene dinero.
○ ¿Mónica? Pero si ....

2
• He leído en el periódico que van a subir los impuestos.
○ Pues ....

3
• Jorge cree que Tina está triste por algo.
○ ¿Sí? Pues ....

4
• Leo está embarazada.
○ ¿Sí? Pero si ....

EXPRESAR INTERESES Y SENTIMIENTOS P. 127, EJ. 4-5

La mayoría de verbos o expresiones que, como **encantar**, sirven para expresar intereses, sentimientos o sensaciones, pueden funcionar con estas estructuras.

Me encanta mi trabajo	(+ sustantivo singular)
Me encantan los gatos	(+ sustantivo plural)
Me encanta vivir aquí	(+ infinitivo)
Me encanta que me regalen flores* (+ **que** + subjuntivo)	

* El sujeto del verbo en subjuntivo, no la persona que experimenta la sensación.

Entre otros muchos, los siguientes verbos funcionan de la misma manera que **encantar**: **molestar**, **interesar**, **gustar**, **apasionar**, **importar**, **fascinar**, **entusiasmar**, **horrorizar**, **irritar**, **sentar bien / mal**, **poner nervioso / triste**..., **hacer ilusión / gracia**..., **dar miedo / pereza**...

Con todos ellos es necesario usar los pronombres personales **me / te / le / nos / os / les**. Hay que tener en cuenta que el sujeto gramatical del verbo es la cosa o acción que produce el sentimiento.

	SUJETO
Me molesta	**la gente** impuntual.
Te molesta**n**	**las personas** impuntuales.
Le molesta	**tener que esperar**.
Os molesta	**que** la gente sea impuntual.

Con los verbos **odiar**, **(no) soportar**, **(no) aguantar**, **adorar**, **estar cansado / harto de**..., etc., el sujeto es la persona que experimenta la sensación.

Muchos de estos verbos no aceptan gradativos porque ya tienen un significado intensificado:

~~me encanta mucho~~ ~~adoro mucho~~ ~~odio mucho~~
~~me apasiona mucho~~ ~~no soporto mucho~~

MOSTRAR DESACUERDO

Una manera de expresar desacuerdo es repetir, en forma de pregunta, lo que ha dicho nuestro interlocutor. Este recurso sirve para mostrar sorpresa, incredulidad o enfado.

- *Silvia, ayer no apagaste las luces al salir...*
- ***¿Que no apagué las luces al salir?***

También podemos retomar, en forma de pregunta, solo una parte del enunciado.

- *Fran, estás un poco distraído, ¿no?*
- ***¿Distraído?** Ay, no sé...*

En general, las preguntas **¿Qué?** y **¿Cómo?** expresan rechazo a lo que nos acaban de decir.

- *No sé qué te pasa, pero estás de muy mal humor.*
- ***¿Cómo? / ¿Qué?** Y ahora me dirás que tú estás de muy buen humor, ¿no?*

En un registro coloquial, algunas fórmulas sirven para expresar un rechazo total, incluso agresivo.

- *Sandra, creo que tu actitud no ha sido muy correcta.*
- ***¡(Pero) qué dices!** Me he comportado perfectamente.*

Otras expresiones coloquiales sirven para negar con énfasis una afirmación.

- *¿Has estado en la playa? Tienes buen color.*
- ***¡Qué va!** He estado todo el fin de semana en casa.*

SUAVIZAR UNA EXPRESIÓN DE DESACUERDO

Es habitual usar diferentes recursos para suavizar nuestro desacuerdo. En general, estos recursos presentan nuestra opinión como algo "personal y subjetivo" y no como afirmaciones absolutas.

- *Alba, tu hermano está muy antipático, ¿no?*
- ***Yo no diría eso**. Lo que pasa es que está en un mal momento.*

- *Creo que no nos han dado el premio porque no somos famosos.*
- ***A mi modo de ver**, ese no es el problema. **Lo que pasa es que...***

- *En general, Oswaldo no hace bien su trabajo.*
- ***Hombre, yo no estoy del todo de acuerdo con** eso.*

CONTRAARGUMENTAR

Para introducir un argumento contrario a lo que acabamos de oír, usamos **pues** o, para mostrar nuestra sorpresa, **(pero) si**.

- *Los informes que me diste ayer no son muy completos.*
- ***Pues** al jefe de Ventas le han parecido perfectos.*

- *Ya no tienes detalles conmigo: no me llamas al trabajo...*
- *¡**(Pero) si** tú me prohibiste llamarte al trabajo!*

PRACTICAR Y COMUNICAR

8. EL JUEGO DE LA VERDAD + P. 129, EJ. 11-13

25-26 **A.** Carlos y Ana llevan un año casados. Un amigo les ha hecho preguntas, por separado, sobre su vida de casados. Anota qué cosas positivas y qué cosas negativas cuenta cada uno de ellos.

	¿QUÉ LE GUSTA DE ÉL / ELLA?	¿QUÉ NO LE GUSTA DE LA RELACIÓN?
1. Carlos habla de Ana		
2. Ana habla de Carlos		

B. ¿Dirías que Carlos y Ana son un matrimonio feliz? Coméntalo con tus compañeros.

9. PAREJAS + P. 131, EJ. 20-21

A. Haz este cuestionario a un compañero.

	SÍ	NO
Le gusta que su pareja le envíe flores.		
Le molesta que su pareja se lleve bien con su(s) ex.		
No le importa que su pareja pase las vacaciones con sus amigos/-as.		
Le irrita que su pareja quiera saber dónde está en cada momento.		
Le gusta que su pareja decida cosas por los dos.		
Le da vergüenza ir a casa de la familia de su pareja.		
Prefiere que su pareja no tenga amigos/-as del sexo contrario.		
Le molesta que su pareja no se acuerde de las fechas especiales.		
Le gusta que su pareja le haga regalos sorpresa.		
No le importa que su pareja no le llame durante dos o tres días seguidos.		
Le molesta que su pareja tenga un sueldo más alto.		

B. ¿Qué tipo de persona crees que es en sus relaciones de pareja? Cuéntaselo a tus compañeros.

- celoso/-a
- moderno/-a
- tradicional
- romántico/-a
- tolerante
- intolerante
- posesivo/-a
- independiente
- dependiente
- abierto/-a

- *Tengo la impresión de que Amanda es bastante celosa. Le molesta, por ejemplo, que su pareja se lleve bien con sus ex.*

10. ¡BASTA DE RONQUIDOS! + P. 131, EJ. 22

A. ¿Qué cosas te molestan de otras personas? Escribe en la pizarra de la clase una protesta relacionada con...

- tus familiares
- tus compañeros de trabajo
- tus amigos
- tus vecinos
- tus compañeros de piso

COMPAÑEROS DE PISO

Estoy harto de Maximilian y sus pelos.

No puedo soportar oír los ronquidos de mi compañero de piso.

B. Ahora lee las quejas de tus compañeros y marca con una cruz aquellas con las que coincides. Luego, comenta con la clase las frases que no entiendes o que te llaman más la atención.

- *¿Quién ha escrito "Estoy harto de Maximilian y de sus pelos"?*
- *Yo. Maximilian es el perro de mi compañero de piso. Es un cócker muy simpático, pero deja la casa llena de pelos...*

PEL **C.** Seleccionad las protestas más interesantes. Escribidlas en carteles y colgadlas por la clase.

11. TRAPOS SUCIOS + P. 129, EJ. 14-15

A. Vais a escribir un fragmento del guión de una película, en el que Samuel y Sara, una pareja, tienen una discusión. Primero, pensad en problemas relacionados con estos ámbitos.

EL TRABAJO (LOS HORARIOS, LA DEDICACIÓN, EL SALARIO)

LA FAMILIA (LOS PADRES, LOS CUÑADOS, EL TIEMPO QUE PASÁIS CON ELLOS...)

LAS TAREAS DE CASA (EL REPARTO DE TAREAS, EL ORDEN, LA LIMPIEZA...)

LOS AMIGOS (EL TIEMPO QUE PASÁIS CON ELLOS, A CUÁLES VEIS MÁS...)

LAS VACACIONES (DÓNDE LAS PASÁIS, EN QUÉ MOMENTO DEL AÑO, CON QUIÉN...)

B. Escribid la discusión que tienen Sara y Samuel. Negociad qué temas van a tratar y poneos de acuerdo sobre qué van a decir.

- *Sara le dice que no puede soportar que Samuel no haga nada en casa.*
- *Sí. Y, además, le dice que lo peor es que ni se da cuenta de que...*

C. Ahora, delante de toda la clase, vais a representar el fragmento de guión que habéis escrito. Los demás, toman notas. Al final, evaluad cómo lo habéis hecho.

CRITERIOS DE EVALUACIÓN

¿Se entiende bien cuál es el tema de la discusión?	
¿El registro es el adecuado?	
¿El léxico y las expresiones que usan son correctos?	
¿La entonación es adecuada?	

12. RELACIONES

A. Aquí tienes tres fragmentos de dos novelas del escritor español Javier Marías. Relaciona cada texto con uno de estos temas:

- casarse
- tener hijos
- enamorarse

1

Dan mucha alegría y todo eso que se dice, pero también dan mucha pena, permanentemente, y no creo que eso cambie ni siquiera cuando sean mayores, y eso se dice menos. Ves su perplejidad ante las cosas y eso da pena. Ves su buena voluntad, cuando tienen ganas de ayudar y poner de su parte y no pueden, y eso te da también pena. Te la da su seriedad y te la dan sus bromas elementales y sus mentiras transparentes, te la dan sus desilusiones y también sus ilusiones, sus expectativas y sus pequeños chascos, su ingenuidad, su incomprensión, sus preguntas tan lógicas, y hasta su ocasional mala idea. Te la da pensar en cuánto les falta por aprender, y en el larguísimo recorrido al que se enfrentan y que nadie puede hacer por ellos, aunque llevemos siglos haciéndolo y no veamos la necesidad de que todo el que nace deba empezar por el principio. ¿Qué sentido tiene que cada uno pase por los mismos disgustos y descubrimientos, más o menos, eternamente?

2

(...) por lo general somos capaces de interesarnos por cualquier asunto que interese o del que nos hable el que amamos. No solamente de fingirlo para agradarle o para conquistarlo o para asentar nuestra frágil plaza, que también, sino de prestar verdadera atención y dejarnos contagiar de veras por lo que quiera que él sienta y transmita, entusiasmo, aversión, simpatía, temor, preocupación o hasta obsesión. (...) De pronto nos apasionan cosas a las que jamás habíamos dedicado un pensamiento, cogemos insospechadas manías, nos fijamos en detalles que nos habían pasado inadvertidos (...), centramos nuestras energías en cuestiones que no nos afectan más que vicariamente o por hechizo o contaminación.

B. Resume la idea principal de cada texto en unas líneas.

C. ¿Estás de acuerdo con lo que dicen los textos? Coméntalo con tus compañeros.

3

El problema mayor y más común al comienzo de un matrimonio razonablemente convencional es que, pese a lo frágiles que resultan en nuestro tiempo y a las facilidades que tienen los contrayentes para desvincularse, por tradición es inevitable experimentar una desagradable sensación de llegada, (...) de punto final. (...) Ese malestar se resume en una frase muy aterradora e ignoro qué harán los demás para sobreponerse a ella: "¿Y ahora qué?

Ese cambio de estado, como la enfermedad, es incalculable y lo interrumpe todo, o al menos no permite que nada siga como hasta entonces: no permite, por ejemplo, que después de ir a cenar o al cine cada uno se vaya a su propia casa y nos separemos, y yo deje con el coche o con el taxi en su portal a Luisa y luego, una vez dejada, yo haga un recorrido a solas por las calles semivacías y siempre regadas, pensando en ella seguramente, y en el futuro, a solas hacia mi casa.

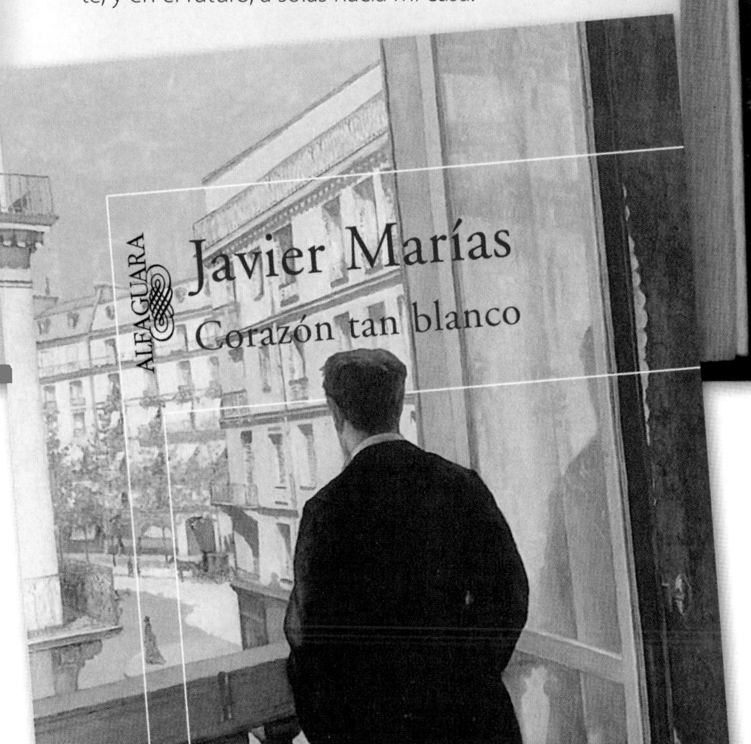

VÍDEO aula.difusion.com

EN CONSTRUCCIÓN

¿Qué te llevas de esta unidad?

Lo más importante para mí:

....

....

Palabras y expresiones:

....

....

Algo interesante sobre la cultura hispana:

....

....

Quiero saber más sobre...

....

....

Cómo voy a recordar y practicar lo que he aprendido:

....

....

5 DE DISEÑO

EMPEZAR

1. UN HOTEL EN PUERTO RICO P. 132, EJ. 1

Mira el reportaje y lee estos comentarios que han hecho algunas personas sobre el diseño de Patricia Urquiola. ¿Estás de acuerdo con lo que dicen?

Lucas: "Yo lo veo demasiado lujoso. Además, hay demasiados colores. No sé, no me acaba de convencer."

Aída: "¡Qué hotel más bonito! ¡Me encantan las lámparas y las sillas! Es realmente una maravilla."

Carla: "Es bonito, pero francamente, no me parece nada especial. Y seguro que es carísimo."

Ricardo: "Me parece que hay un equilibrio entre tradición y modernidad, entre lujo y sencillez."

PARA COMUNICAR

Yo también / Yo no lo veo muy / tan lujoso ...
Para mí también / no es lujoso...
A mí también me parece bonito / una maravilla...
A mí tampoco me convence / me parece bonito...

- *Yo estoy de acuerdo con Lucas. A mí me parece que hay demasiados colores.*
- *Pues yo lo encuentro muy alegre.*

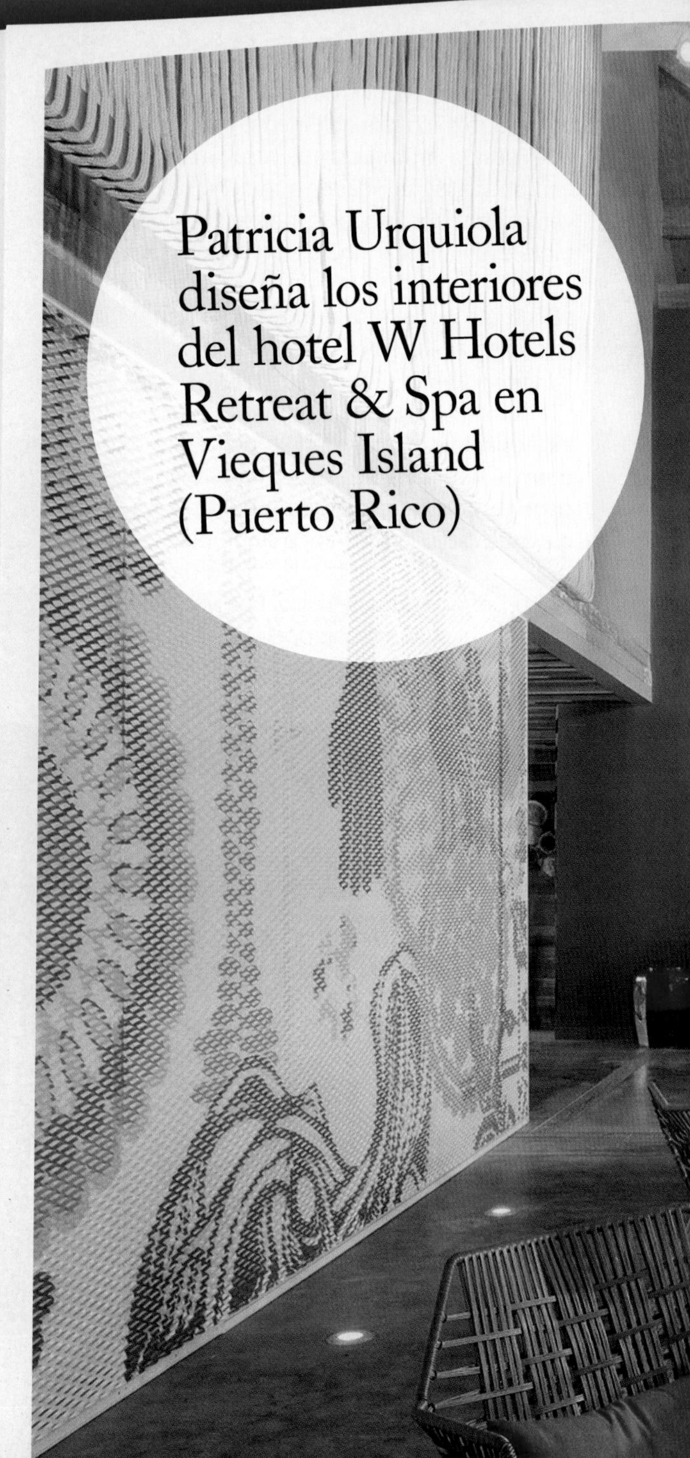

Patricia Urquiola diseña los interiores del hotel W Hotels Retreat & Spa en Vieques Island (Puerto Rico)

EN ESTA UNIDAD VAMOS A

DISEÑAR UN OBJETO QUE SOLUCIONE UN PROBLEMA DE LA VIDA COTIDIANA

RECURSOS COMUNICATIVOS

- describir las características y el funcionamiento de algo
- opinar sobre objetos

RECURSOS GRAMATICALES

- los superlativos en **ísimo/-a/-os/-as**
- algunos modificadores del adjetivo: **excesivamente**, **demasiado**...
- las frases exclamativas: **¡qué...!**, **¡qué... tan / más...!**
- las frases relativas con preposición
- uso del indicativo y del subjuntivo en frases relativas

RECURSOS LÉXICOS

- vocabulario para describir objetos (formas, materiales...)
- vocabulario para valorar el diseño de objetos

Recepción del hotel

Una de las terrazas

Detalle de la habitación

La piscina con vistas al mar

2. DISEÑO CONTEMPORÁNEO

A. Observa estas fotografías. ¿Qué crees que son los cinco objetos que aparecen en ellas? ¿Para qué crees que sirven? Coméntalo con tus compañeros.

- *Supongo que esto sirve para sentarse...*
- *Sí, parece una...*

B. Ahora lee el siguiente texto y descubre cómo se llaman y para qué son realmente los objetos de la página anterior.

Martín Azúa. **Diseñador**

Martín Azúa (Álava, 1965) atrajo por primera vez la atención del público en 1999, con su diseño *Casa básica*, un proyecto que surgió para responder a la necesidad de proporcionar un refugio temporal a inmigrantes recién llegados, y que actualmente se expone en el MOMA de Nueva York.
Esta "casa portátil" de 220 gramos se pliega hasta caber en un bolsillo y utiliza el calor corporal o solar para mantenerse inflada. Además, es reversible (la cara dorada protege del frío y la plateada, del calor) y está fabricada en poliéster para que entre la luz sin que se vean los ocupantes desde el exterior. La *Casa básica* es un ejemplo típico del trabajo de Azúa, que combina la tecnología, la filosofía, la poesía y, muchas veces, algún elemento inesperado.
Muchos de sus diseños buscan integrar la vida de los humanos con la naturaleza. Son ejemplos de ello *La vida en los objetos*, un sillón que sirve también de maceta y de vivienda para pequeños animales; o *Casa Nido*, una casa fácil de montar para dormir en plena naturaleza. Azúa concibe productos baratos y "democráticos" aunque con un fuerte compromiso artístico y experimental. Actualmente, varios de sus diseños se producen comercialmente y se pueden comprar en su página web. Entre ellos encontramos creaciones como *Boina caliente*, una original bolsa de agua caliente para calentar la cama, y *Rebotijo*, un objeto concebido para beber y conservar el agua fresca inspirado en los típicos botijos españoles.

C. En parejas, consultad la página web de Martín Azúa (www.martinazua.com) y elegid un diseño que os guste. Presentadlo al resto de la clase.

3. ¡QUÉ HORROR! P. 132, EJ. 2; P. 133, EJ. 3-4

27-32

A. Vas a escuchar seis conversaciones en las que se habla de un objeto. ¿Sabes a cuál de estos se refieren en cada caso? Márcalo.

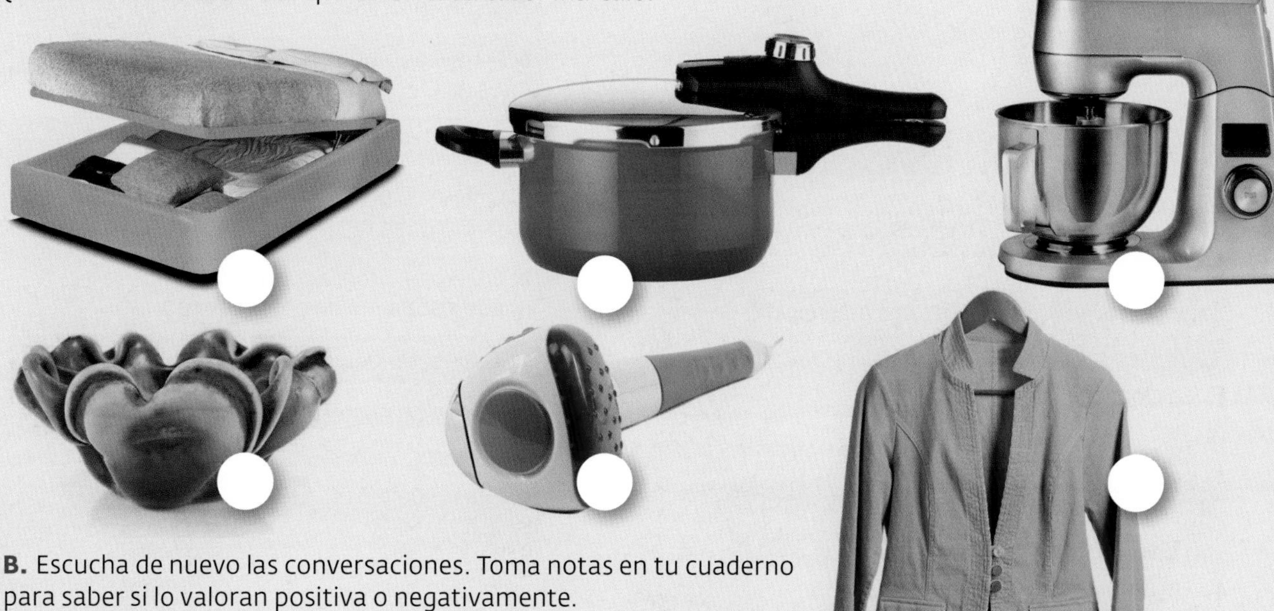

27-32

B. Escucha de nuevo las conversaciones. Toma notas en tu cuaderno para saber si lo valoran positiva o negativamente.

C. Ahora imagina que quieres comprar estas cosas. ¿Cómo las pedirías en una tienda especificando alguna de sus características?

EXPLORAR Y REFLEXIONAR

4. ¿QUÉ ES? P. 134, EJ. 5

A. Escribe a qué se refieren estas descripciones.

1. Es un mueble **en el que** guardas la ropa y que normalmente tiene puertas. ....
2. Es una herramienta **con la que** puedes cortar papel, tela, pelo... ....
3. Son unas semillas **de las que** se obtiene aceite. ....
4. Son unos lugares **a los que** vas a ver películas. ....
5. Es algo **con lo que** te peinas. ....

B. Fíjate en las palabras marcadas en rojo. ¿Qué tipo de palabras son? ¿A qué palabra se refieren?

C. ¿Por qué aparecen las preposiciones en las frases anteriores?

D. Intenta formar frases relativas.

a. una prenda de vestir | **b.** te cubres la cabeza con esa prenda

1. Un sombrero es ....

a. un establecimiento | **b.** compras medicamentos en ese lugar

2. Una farmacia es ....

a. un tema | **b.** hay mucha polémica sobre ese tema

3. La clonación es ....

a. un lugar | **b.** vas a ese lugar cuando tienes problemas de salud

4. Un ambulatorio es ....

5. ¿QUE TIENE O QUE TENGA? P. 134, EJ. 6-7

A. ¿Qué diferencia hay entre estas dos frases? Coméntalo con tus compañeros.

Estoy buscando a un comercial que **habla** alemán.

?
Estoy buscando a un comercial que **hable** alemán.

B. Marca la opción correcta en cada caso.

	SÍ	NO
1. ¿Sabe si existe el libro?		
a. Estoy buscando un libro que tiene fotos de Caracas.		
b. Estoy buscando un libro que tenga fotos de Caracas.		
2. ¿Sabe si existe ese programa?		
a. Quiero un programa de diseño que se pueda instalar en un ordenador portátil.		
b. Quiero un programa de diseño que se puede instalar en un ordenador portátil.		
3. ¿Sabe si venden ese pastel?		
a. Quiero un pastel que lleva chocolate y nata.		
b. Quiero un pastel que lleve chocolate y nata.		

6. LLEVA UN VESTIDO SUPERORIGINAL P. 137, EJ. 15

33-35 **A.** Vas a escuchar un programa de radio en el que hablan de la ropa que llevaron estas tres personas en la gala de los premios Grammy Latino. Escribe cómo expresan estas cosas intensificándolas.

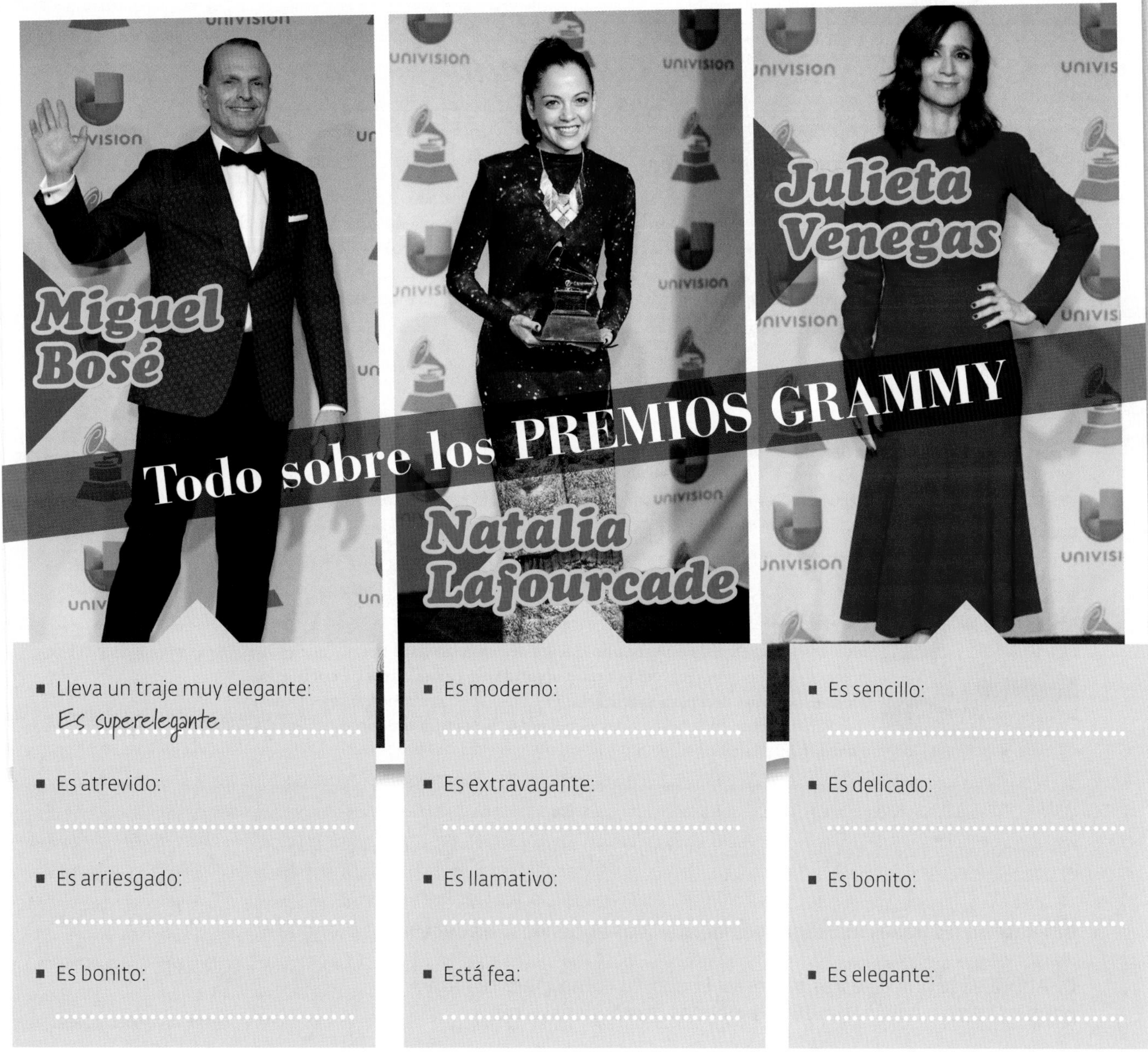

Miguel Bosé

- Lleva un traje muy elegante: Es superelegante
- Es atrevido: ....
- Es arriesgado: ....
- Es bonito: ....

Natalia Lafourcade

- Es moderno: ....
- Es extravagante: ....
- Es llamativo: ....
- Está fea: ....

Julieta Venegas

- Es sencillo: ....
- Es delicado: ....
- Es bonito: ....
- Es elegante: ....

B. En parejas, fijaos en las frases que habéis escrito en el apartado anterior. ¿Qué recursos se usan para intensificar? Marcadlos.

C. ¿Y a ti qué te parece la ropa que llevan? Coméntalo con tus compañeros.

- *A mí el vestido de Natalia Lafourcade me parece superbonito. Yo creo que está guapísima.*
- *Ay, no... A mí me parece verdaderamente horrible.*

7. ¿ES DE METAL? P. 135, EJ. 8; P. 137, EJ. 17-18

A. Lee este blog. ¿Te comprarías alguno de esos aparatos? ¿Por qué?

www.elblogdepepita.dif/utensiliosdecocina

El blog de Pepita

2 DE FEBRERO

Vaporera eléctrica

Sirve para cocinar al vapor todo tipo de alimentos (pescado, verduras, carne, etc.). Desde que la descubrí, la uso casi todos los días y os recomiendo que la probéis. **Es muy fácil de usar. Funciona con electricidad (consume poco)** y solo hay que poner los alimentos y conectarla. La comida se hace muy rápidamente y está buenísima. La calidad depende de las marcas, pero en general es un aparato que **dura mucho tiempo.**

4 DE MARZO

Picador de ajos

Este utensilio que os voy a presentar **va muy bien para picar los ajos** sin ensuciarse las manos. **Es de plástico**, por lo que no hay peligro de cortarse o hacerse daño, y además **no se rompe. Es muy práctico** y fácil de usar. **Funciona manualmente**, sin pilas ni electricidad: se abre y se ponen los ajos; luego se cierra y se gira: lo que obtienes es ajo perfectamente picado.

21 DE MARZO

Ablandador de carne

Hoy voy a presentaros un utensilio que he descubierto hace poco y que es más práctico de lo que parece. **Se usa para ablandar la carne antes de cocinarla.** También **es muy útil para marinarla**, ya que si la ablandamos antes, se marina más rápidamente. Además, como es pequeño, **no ocupa mucho** espacio y **lo podéis guardar** en cualquier sitio.

Acerca de Pepita

El blog de Pepita es un blog que he creado para hablar de cocina y alimentación. Soy una fan de la cocina fácil y de los utensilios, y os voy a presentar ideas para cocinar como un profesional sin pasaros el día en la cocina.

Categorías

- Cocinar
- Conservas
- Fruta y verdura
- Para la mesa
- Pequeños electrodomésticos
- Recetas especiales
- Recetas fáciles
- Recetas con microondas
- Recetas para que cocinen los niños
- Recetas de cocina
- Repostería
- Tiendas online
- Trucos y consejos
- Utensilios

- *Yo me compraría la vaporera. Creo que es muy práctica y, además, cocinar al vapor es muy sano.*

B. Fíjate en las frases marcadas en negrita. ¿Las entiendes? Tradúcelas a tu lengua.

C. Ahora elige una de estas palabras. Luego, tu compañero te hará preguntas para adivinarla. Tú solo puedes responder **sí** o **no**.

- unos calcetines
- una lámpara
- un sacacorchos
- una silla
- una chaqueta
- un jarrón
- una camiseta
- un tenedor
- una revista
- una puerta
- un sacapuntas

PARA COMUNICAR

Es / puede ser de algodón / lana / cristal / metal / madera / piel / papel / plástico...
Sirve para cortar / lavar...
Se usa para cocer / freír...
Es fácil / difícil de usar / lavar...

- *¿Es de metal?*
- *Sí.*

FRASES RELATIVAS

Las frases relativas sirven para añadir información sobre un sustantivo o para determinarlo.
*Este anillo, **que perteneció a mi abuela**, es de oro blanco.*
*Esta es la novela **que me compré ayer**.*

CON INDICATIVO O CON SUBJUNTIVO
Utilizamos el indicativo para referirnos a algo cuya identidad concreta conocemos o que sabemos que existe.
*Hola... Quería ver una cámara **que** cuesta **unos 300 €**. Me la enseñó usted ayer.*
(= Sabe que la tienen y que cuesta 300 euros)

Usamos el subjuntivo cuando nos referimos a algo cuya existencia o identidad concreta desconocemos.
*Hola... Quería ver una cámara **que** cueste unos **300 €**.*
(= No sabe si tienen cámaras de ese precio)

CON PREPOSICIÓN
Cuando las frases relativas llevan preposición, el artículo (**el** / **la** / **lo** / **los** / **las**), que va entre la preposición y el pronombre **que**, concuerda en género y en número con la palabra a la que se refiere.
*Este es el coche en **el** que fuimos a Cartagena.*
*¿Es esta la llave con **la** que cerraste la puerta?*
*Necesito algo con **lo** que pueda abrir esta lata.*
*Los hoteles en **los** que nos alojamos eran muy buenos.*
*Allí están las chicas de **las** que te hablé.*

Cuando nos referimos a lugares, podemos usar **donde** en lugar de **en el** / **la** / **los** / **las que**. Cuando nos referimos a personas, podemos usar preposición + **quien** / **quienes** en lugar de preposición + **el** / **la** / **los** / **las que**.
*Esta es la casa **en la que** nací. = Esta es la casa **donde** nací.*
*Esa es la chica **con la que** fui a la fiesta. = Esa es la chica **con quien** fui a la fiesta.*

HABLAR DEL FUNCIONAMIENTO Y DE LAS CARACTERÍSTICAS

Sirve para lavar las verduras.
Se usa para cubrirse las orejas cuando hace mucho frío.
Es fácil / difícil de usar...
Va / Funciona genial / (muy) bien / (muy) mal / fatal...
Va / Funciona con pilas / electricidad / gas / energía solar...
(No) Se arruga / estropea / rompe...
(No) Pasa de moda.
Consume mucho / bastante / poco.
Lo / la / los / las tomas cuando estás enfermo.
Ocupa mucho / bastante / poco (espacio).
Cabe en cualquier sitio.
Dura mucho / bastante / poco (tiempo).

VALORAR

(Yo) **Lo encuentro / veo** muy bonit**o**.
(Yo) **La encuentro / veo** muy bonit**a**.
(Yo) **Los encuentro / veo** muy bonit**os**.
(Yo) **Las encuentro / veo** muy bonit**as**.

(A mí) **Me parece/n** muy bonit**o**/**-a**/**-os**/**-as**.

VALORACIONES NEGATIVAS

(A mí) **No me desagrada, pero** yo no lo compraría.
No está mal, pero no es lo que estoy buscando.
(A mí) **No me convence. / No me acaba de convencer**.
La verdad, para mí es excesivamente moderno.
Es bonito, **pero, francamente / sinceramente**, no le veo ninguna utilidad.

FRASES EXCLAMATIVAS

¡**Qué** horror / maravilla...!
¡**Qué** (vestido **tan**) bonito! = ¡**Qué** (vestido **más**) bonito!

SUPERLATIVOS Y OTROS GRADATIVOS

feo	caro	rico	rápido
muy feo	muy caro	muy rico	muy rápido
feísimo	carísimo	riquísimo*	rapidísimo

* A veces hay cambios ortográficos: ri**c**o – ri**qu**ísimo.

Para intensificar un adjetivo, en lengua coloquial, a veces usamos el prefijo **super**.
*Es un aparato **super**práctico.*

Con adjetivos que expresan una gran intensidad, no usamos el adverbio **muy**, ni el sufijo **-ísimo**, ni el prefijo **super**. Usamos, en su lugar, **realmente** o **verdaderamente**.
*Es **realmente / verdaderamente** fantástico / horrible...*

Otros gradativos:

Es **demasiado/excesivamente** llamativo.
Es (**muy**) **poco*** práctico.
Es **un poco**** caro. (= Es caro)
No es **nada** interesante.

* Recuerda que **poco** solo se usa con adjetivos de significado positivo.
** Recuerda que **un poco** solo se usa con adjetivos de significado negativo.

8. ESTÁ DE MODA

A. Mira estos diseños de moda. ¿Qué te parecen? Coméntalo con un compañero. ¿Tenéis los mismos gustos?

- *A mí estos pantalones me parecen demasiado llamativos. No me los pondría nunca.*
- *Pues a mí me encantan, me parecen supermodernos.*

B. Responde a estas preguntas sobre la ropa y la moda.

1. ¿Cuál es tu color favorito?
2. ¿Sabes cuáles son los colores de moda este año?
3. ¿Usas ropa de marca?
4. ¿Cuál es tu marca favorita?
5. ¿Crees que la manera de vestir de una persona refleja su personalidad?
6. ¿Cuánto tiempo sueles tardar en vestirte?
7. ¿Guardas alguna prenda de vestir desde hace muchos años? ¿La usas?
8. ¿Te gusta llamar la atención con la ropa?
9. ¿Gastas mucho dinero en ropa?
10. En español se dice que "para presumir hay que sufrir". ¿Estás de acuerdo?

C. Comenta tus respuestas con un compañero. Luego, piensa qué prenda de vestir le regalarías para su cumpleaños y descríbela con detalle. Si lo prefieres, puedes buscarla en internet.

- *A Boris le regalaría...*

9. ¿PUEDES USARLO EN LA COCINA?

A. Piensa en un objeto que tenga especial importancia en tu vida cotidiana. Luego, intenta responder mentalmente a las siguientes preguntas.

- ¿Es útil?
- ¿Es caro?
- ¿Para qué sirve?
- ¿Se arruga?
- ¿Se estropea?
- ¿Se rompe?
- ¿Funciona con pilas / electricidad?
- ¿Pasa de moda?
- ¿Es fácil de usar?
- ¿Dura mucho tiempo?
- ¿Ocupa mucho espacio?
- ¿Consume mucho?
- ¿Puedes usarlo en la cocina / en el salón?
- ¿Lo puedes llevar encima?

B. Ahora, tu compañero te va a hacer preguntas para adivinar en qué objeto has pensado. Tú solo puedes responder sí o no.

- *¿Lo puedes usar en la cocina?*
- *No.*
- *¿Sirve para...?*

10. ¿TIENES?

A. En parejas (uno es el alumno A y el otro, el alumno B), buscad a un compañero que tenga en clase alguna de estas cosas. Gana la pareja que consiga más.

- *¿Tienes algo que sirva para protegerse de la lluvia?*
- *No, lo siento.*

B. Ahora, presentad al resto de la clase los objetos que habéis obtenido y convencedlos de que realmente tienen esa utilidad o esas características.

ALUMNO A
- Algo que sirva para protegerse de la lluvia
- Una cosa que se rompa fácilmente
- Un objeto que sirva para mirarse
- Una prenda de vestir que sea de lana
- Algo que esté de moda

ALUMNO B
- Un objeto que sirva para apagar un fuego
- Una prenda de vestir que se ponga en la cabeza
- Un aparato que funcione con pilas
- Un cosa que se arrugue mucho
- Algo que quepa en un bolsillo y que sea de madera

11. SOLUCIONES PARA TODOS

A. Estas tres personas tienen algunos problemas prácticos en su vida cotidiana. Lee sus testimonios. ¿Qué objeto crees que necesitan? Coméntalo con tus compañeros.

"El mes que viene voy a abrir una tienda de aparatos electrónicos en el centro. El interiorismo de la tienda es muy moderno, como de ciencia ficción. Lo que no tengo claro es el uniforme de los trabajadores. Quiero que sea también muy moderno, especial, sorprendente..." **Juan**, 41 años

"Yo tengo muy poca memoria y siempre pierdo cosas. Las llaves de casa, por ejemplo, las pierdo cada dos por tres. Hasta ahora no era mucho problema porque mis amigos tenían una copia y estaban cerca para echarme una mano. Pero acabo de trasladarme a un pueblo donde no conozco a nadie y no sé qué hacer." **Román**, 34 años

"Yo, cuando estoy durmiendo, no soporto escuchar ningún tipo de ruido, ni el más mínimo, así que siempre me pongo tapones. El problema es que, por la mañana, nunca oigo el despertador y siempre llego muy tarde al trabajo. Mi jefe ya empieza a estar harto." **Montse**, 28 años

- *Pues yo creo que Montse necesita un despertador que suene muy muy fuerte.*
- *Pero también tenemos que pensar en los vecinos, ¿eh? Mejor un despertador que le eche un chorro de agua.*

B. En parejas, decid qué problema queréis resolver (uno de los tres anteriores o uno de los planteados por los compañeros de la clase) y diseñad un objeto o un aparato que lo solucione. ¿Podéis dibujarlo?

¿Cómo se llama? ¿Cómo es? ¿A quién va dirigido?

C. Ahora presentad vuestro proyecto a la clase. ¿Cuál es el diseño más útil?

Nuestra propuesta se llama...
Es un aparato con el que se puede...

12. INVENTOS P. 135, EJ. 9

A. Mira las imágenes. ¿Cuál de estos inventos te parece más importante? ¿Por qué?

Inventos latinos

Desde sus orígenes, el hombre ha tenido que hacer frente a las necesidades planteadas por el tiempo en el que vive. De esta necesidad y de su ingenio han nacido los grandes (y los pequeños) inventos. Estos son cinco "inventos latinos" que han dado la vuelta al mundo.

1884 El submarino

El marino español Isaac Peral logró crear un submarino propulsado electrónicamente que revolucionó la navegación. La Marina española no autorizó la construcción de nuevos aparatos, ya que no creyó en el invento.

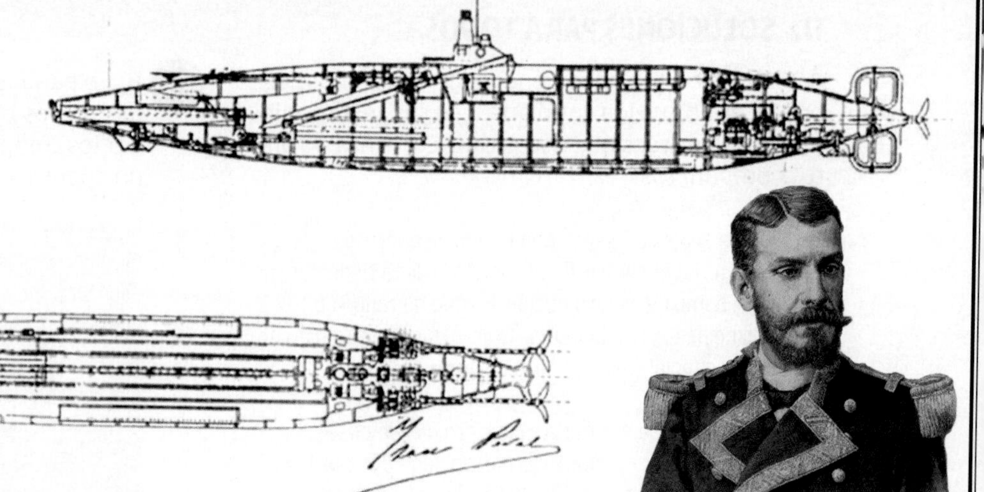

1938 El bolígrafo

Ladislao José Biro (que nació en Hungría, pero se nacionalizó argentino) creó el bolígrafo en 1938. La idea le surgió al ver a unos niños jugando en la calle con canicas: una de ellas pasó por un charco y dejó una marca sucia en el suelo. Así nació el popular bolígrafo, que en Argentina se llama birome.

1940 La televisión en color

El mexicano Guillermo González Camarena creó en 1940 un sistema para poder ver la televisión en color, que perfeccionó en 1960 y presentó en la Feria Mundial de Nueva York.

B. Lee los textos y anota dos cosas que no sabías y que te han sorprendido. Luego coméntalas con el resto de la clase.

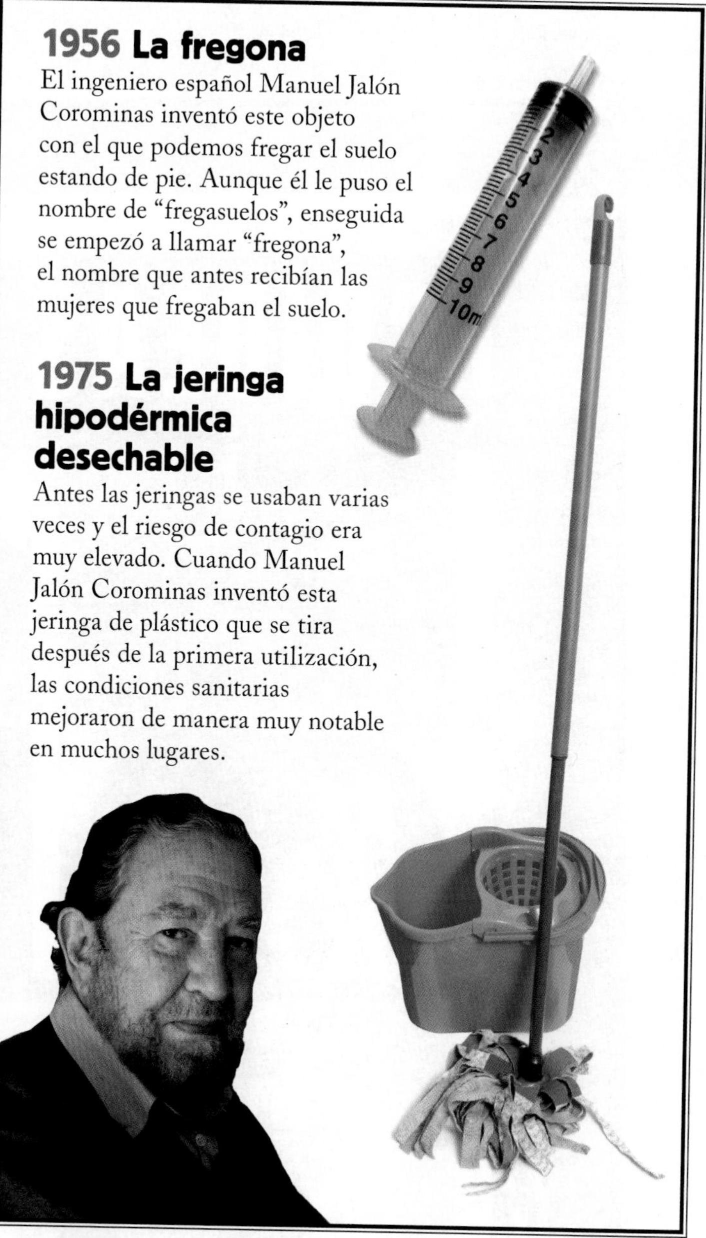

1956 La fregona

El ingeniero español Manuel Jalón Corominas inventó este objeto con el que podemos fregar el suelo estando de pie. Aunque él le puso el nombre de "fregasuelos", enseguida se empezó a llamar "fregona", el nombre que antes recibían las mujeres que fregaban el suelo.

1975 La jeringa hipodérmica desechable

Antes las jeringas se usaban varias veces y el riesgo de contagio era muy elevado. Cuando Manuel Jalón Corominas inventó esta jeringa de plástico que se tira después de la primera utilización, las condiciones sanitarias mejoraron de manera muy notable en muchos lugares.

C. Piensa en un invento que haya sido importante para la Humanidad. Escribe un texto y cuélgalo en una red social o en un blog para que lo puedan leer tus compañeros.

VÍDEO

aula.difusion.com

EN CONSTRUCCIÓN

¿Qué te llevas de esta unidad?

Lo más importante para mí:

....

....

Palabras y expresiones:

....

....

Algo interesante sobre la cultura hispana:

....

....

Quiero saber más sobre...

....

....

6 UN MUNDO MEJOR

EMPEZAR

1. CUIDARSE Y CUIDAR EL PLANETA

P. 138, EJ. 1-2

A. Una web ofrece ideas para vivir de manera más sostenible y participativa. ¿Qué te parecen las propuestas?

PARA COMUNICAR

A mí, **lo de...**	**me parece** una idea	(muy) buena (muy) interesante extraña
	no me parece (muy) buena idea	

- *A mí, lo de compartir la comida me parece una idea muy extraña...*
- *Pues a mí me parece muy buena idea.*

B. ¿Qué otras ideas o propuestas del mismo tipo conoces?

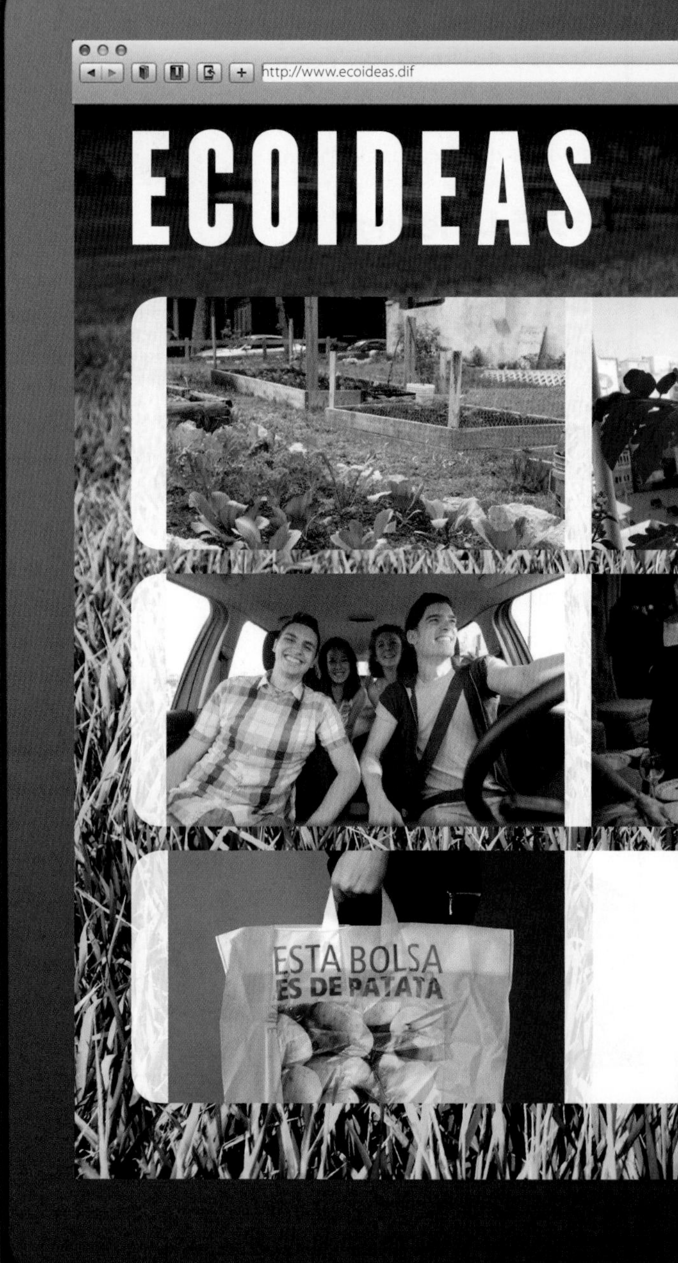

EN ESTA UNIDAD VAMOS A

ELABORAR UNA PRESENTACIÓN SOBRE UN NUEVO MOVIMIENTO

RECURSOS COMUNICATIVOS

- valorar situaciones y hechos
- opinar sobre acciones y conductas

RECURSOS GRAMATICALES

- **me parece bien / mal / injusto / ilógico... que** + presente de subjuntivo
- **está bien / mal que...** + presente de subjuntivo
- **es injusto / ilógico / fantástico... que** + presente de subjuntivo
- el condicional
- **lo de** + infinitivo / sustantivo, **lo que** + verbo

RECURSOS LÉXICOS

- medioambiente
- solidaridad

Cada día surgen nuevas iniciativas para conseguir un planeta más verde y promover maneras de vivir más sostenibles ¡y más felices! Aquí tenéis alguna de las más interesantes.

Plantar un huerto en casa o participar en un huerto urbano

La manera ideal de alimentarse bien: comer frutas y verduras ecológicas cultivadas en casa o en tu barrio.

Compartir el coche... o la comida

Nacen páginas web para las personas que necesitan viajar en coche y quieren compartir los gastos con otros. Y redes sociales para personas que, cuando viajan, quieren comer en casa de alguien en vez de hacerlo en un restaurante.

Comprar productos reciclables y reciclados

Bolsas hechas de papel reciclado o a base de almidón de patata, anoraks hechos de plástico reciclado, copas de vidrio reciclado... Hoy en día, existen alternativas ecológicas y a buen precio a casi todos los productos que necesitamos.

2. KM 0

A. Observa el título del texto y las imágenes. ¿A qué crees que se refieren los adjetivos **buena**, **limpia** y **justa**?

B. Lee el texto. Luego, en parejas, responded las siguientes preguntas.

- ¿Qué es lo que no les parece lógico y sostenible a los creadores del movimiento?
- ¿Qué creéis que quiere conseguir el movimiento Slow Food?
- ¿Creéis que es una buena idea?
- ¿Os gustaría ir a un restaurante Km 0?

C. Buscad en internet restaurantes en España, América Latina o vuestro país que formen parte de la red Km 0. Presentad al resto de la clase uno que os parezca interesante.

Cultivo de amaranto en México.

Buena, limpia... y justa

¿Es lógico que en los supermercados españoles encontremos a precios bajísimos legumbres producidas en Estados Unidos? ¿Es sostenible que en los restaurantes de Singapur se sirva agua embotellada en los Alpes? Para los creadores del movimiento Slow Food, la respuesta es no.

El origen: Slow Food

En 1986, Carlo Petrini crea Slow Food en Italia para defender la cocina local en todo el mundo. Según este movimiento, la alimentación debe ser buena, limpia y justa. Los alimentos deben tener buen gusto, deben ser producidos sin dañar el medioambiente ni nuestra salud, y los productores deben ser pagados de manera justa. El Slow Food se basa en la idea de la "ecogastronomía"; es decir, la conexión entre la comida, el paisaje local y el planeta. Y por eso apoya a productores de alimentos locales en todo el mundo.

Apoyar a los productores locales es una manera de que las materias primas no viajen miles de kilómetros, pero también de que sobrevivan variedades de vegetales y animales autóctonos. Es la manera de conservar para nuestros hijos el aceite de oliva producido a partir de olivos milenarios en Castellón o el amaranto de México.

Kilómetro 0

Esta idea de conservar los productos y las recetas tradicionales ha atraído en los últimos años a cocineros de todo el planeta, que han creado una red de restaurantes y de cocineros Slow Food. Para formar parte de la red es necesario que en la carta haya al menos cinco platos Km 0, que el restaurante separe y recicle los residuos y que el chef sea socio de Slow Food.

Los platos y los restaurantes

¿Qué es un plato Km 0? Para recibir el sello "Km 0" es necesario que el ingrediente principal del plato y el 40% de los ingredientes sean locales. Además, el restaurante debe comprarlos directamente al productor y deben estar producidos a menos de cien kilómetros del restaurante. Muchos restaurantes en España y toda América Latina forman parte de esta red. Cocineros jóvenes y con enorme talento, a menudo en zonas rurales, llevan a la mesa las recetas de las abuelas y usan los productos "de toda la vida". Pero además tienen un buen ejemplo a seguir: el mejor restaurante del mundo de los años 2011, 2012 y 2013 es el danés Noma, un Km 0.

Eneko Atxa, chef del Azurmendi, restaurante Km 0 con 3 estrellas Michelín

3. "PIENSA EN VERDE" TODO EL DÍA P. 138, EJ. 3

A. Lee los consejos que da esta web para vivir de manera más ecológica a lo largo del día. ¿Cuáles de ellos sigues tú normalmente y cuáles te gustaría seguir?

http://piensaenverde.dif

10 CONSEJOS PARA PROTEGER EL MEDIOAMBIENTE A LO LARGO DEL DÍA

"Pensar en verde" no es tan difícil como parece. Todos podemos ayudar a proteger el planeta. A continuación te ofrecemos algunos consejos que puedes seguir... desde que te despiertas.

1. ¿Tu despertador es eléctrico? ¿Lleva pilas? El próximo, cómpralo solar.
2. Si eres hombre, aféitate con una maquinilla de cuchillas recambiables en lugar de una desechable. Y no dejes correr el agua mientras te estás afeitando o cepillando los dientes. ¡Ahorrarás mucha agua!
3. Si compras zumos, no los compres en envases individuales.
4. Cuando salgas de casa, no olvides apagar todas las luces y aparatos eléctricos.
5. Para ir al trabajo, elige un medio "verde": en bicicleta o a pie es lo ideal; si no, en transporte público. Y si tienes que ir en coche, no vayas solo: comparte tu coche con compañeros o personas que van al mismo destino.
6. En el trabajo, usa el papel por las dos caras. E imprime solo lo que realmente necesites tener en papel.
7. Recicla tus residuos en el trabajo, en el colegio y en casa.
8. Coloca una planta en tu área de trabajo, además de decorar, elimina contaminantes del aire.
9. En los meses más calurosos, cambia tus hábitos: busca la sombra, usa ventilador y duerme en la habitación más fresca de la casa.
10. No uses la lavadora si no está llena. Y no laves la ropa si no está realmente sucia. Además, si cuelgas las toallas usadas en un lugar seco, durarán más tiempo limpias y sin malos olores.

- *¿Qué te parece lo del despertador?*
- *No es mala idea, pero yo uso el móvil.*
- *Yo también, pero me gustaría comprarme un despertador solar...*

Yo ya tengo / me afeito / reciclo...
Yo no tengo / me afeito / reciclo... pero
- **me gustaría**.
- **debería** hacerlo / probarlo / comprarlo.
- **podría** hacerlo / probarlo / comprarlo.
- **tendría que** hacerlo...

B. Un chico y una chica están leyendo el artículo y comentan cuáles de los consejos siguen y cuáles no. Completa el cuadro.

	Consejos que sigue	Consejos que no sigue	Consejos que no sigue, pero que debería o le gustaría seguir
Él			
Ella			

4. UN MUNDO SOSTENIBLE

A. Lee esta entrevista. ¿Te parece interesante lo que dice la especialista? Marca las ideas con las que estás de acuerdo.

ENTREVISTA A **LAIA SERRA**, INGENIERA INDUSTRIAL Y ESPECIALISTA EN SOSTENIBILIDAD

"No es suficiente que reciclemos los residuos"

Usted es ingeniera y especialista en sostenibilidad. ¿En qué consiste su trabajo?
Ayudo a las empresas a ser más eficaces, a contaminar menos y sobre todo a ser eficientes desde el punto de vista ecológico.

¿Y eso qué significa?
Es cierto que, durante los últimos años, el lema de los ecologistas **ha sido** "reducir, reutilizar, reciclar"; pero no es suficiente que **reciclemos** nuestros residuos. Debemos diseñar mejor los productos para generar menos residuos y consumir menos.

¿Y eso cómo se consigue?
Un ejemplo: un edificio mal diseñado gasta mucha energía eléctrica para tener iluminación, pero la solución no es usar bombillas de bajo consumo. Lo importante es que el edificio **esté** bien diseñado y que **use** al máximo la luz natural.

¿Otros ejemplos?
Muchos plásticos provienen del petróleo y son un recurso que se va acabar. Es absurdo que esa materia **tenga** un solo uso. Por eso, algunas empresas, por ejemplo, están reciclando botellas de plástico para crear ropa impermeable. Eso es eficiencia.

¿España es un país eficiente desde el punto de vista ecológico?
Bueno, **es cierto que** la situación **es** mejor que hace 10 años, pero todavía falta mucho por hacer. Por ejemplo, no es lógico que en España casi todas las botellas de vidrio **sean** de un solo uso.

B. ¿Las expresiones resaltadas en naranja van seguidas de indicativo o de subjuntivo? ¿En todos los casos? ¿Intuyes por qué?

5. OPINIONES CONTRARIAS

A. Ana y Ada tienen opiniones contrarias en casi todo. En parejas, completad las frases de la manera más lógica.

1 Sobre las centrales nucleares
- **a.** Ana es antinuclear. Cree que **no es lógico que...**
- **b.** Ada es pronuclear. Cree que **es necesario que...**

2 Sobre el cambio climático
- **a.** Ana cree que es cierto. Piensa que **es evidente que...**
- **b.** Ada es escéptica. Piensa que **no está probado que...**

3 Sobre los coches en la ciudad
- **a.** Ana cree que se deberían limitar. Según ella, **no es normal que...**
- **b.** Ada cree que son muy necesarios. Según ella, **es natural que...**

4 Sobre los transgénicos
- **a.** Ana está en contra. Cree que **no está bien que...**
- **b.** Ada cree que son muy necesarios. Cree que **es normal que...**

5 Sobre la experimentación con animales
- **a.** Ana, en contra. Cree que **no es ético que...**
- **b.** Ada está a favor. Piensa que **está totalmente justificado que...**

B. En parejas, pensad en más cosas sobre las que Ana y Ada no están de acuerdo. Escribid frases similares a las del apartado anterior.

6. LE PARECE FATAL

37

Las estructuras **parecer + adjetivo + que** también se usan con subjuntivo. Escucha las siguientes conversaciones y resúmelas en una frase.

1. Le parece mal que prohíban que los coches circulen por la ciudad algunos días.
2. Le parece...
3. Le parece...
4. Le parece...
5. Le parece...
6. Le parece...

7. ¿TÚ HARÍAS ESO? P. 139, EJ. 7; P. 140, EJ. 10-13

A. Aitor está leyendo una revista online sobre nuevas tendencias y comenta algunos artículos con un amigo. ¿Y tú? ¿Harías las cosas de las que habla Aitor?

- Aquí hay un artículo sobre una cosa que se llama *meal sharing*. ¿Tú **invitarías** a comer a tu casa a desconocidos?
- No sé, es una idea bonita, pero creo que no lo **haría**.

- Y también hablan de compartir coche en viajes largos... Yo eso sí que **podría** hacerlo.
- ¿Sí? ¿**Viajarías** en tu coche con un desconocido? Creo que a mí no me **gustaría**.

- Mira esta chaqueta: está hecha de bolsas de plástico recicladas. ¿Tú te **comprarías** algo así?
- Qué va. No me **pondría** una chaqueta así en la vida.

B. Los verbos en negrita de las frases anteriores están en condicional. ¿Entiendes lo que expresamos con ese tiempo verbal?

C. ¿Recuerdas cómo se forma el futuro? El condicional es muy parecido. Completa las formas que faltan.

	FUTURO	CONDICIONAL
(yo)	viajar**é**	viajar**ía**
(tú)	viajar**ás**	
(él/ella/usted)	viajar**á**	viajar**ía**
(nosotros/nosotras)	viajar**emos**	
(vosotros/vosotras)	viajar**éis**	viajar**íais**
(ellos/ellas/ustedes)	viajar**án**	

D. La raíz de los verbos irregulares en condicional es la misma que la del futuro. Intenta conjugar la primera persona de estos verbos.

- tener → tendría
- poder →
- salir →
- saber →
- decir →
- querer →
- hacer →
- ponerse →

8. ¿TE HAS ENTERADO DE...? P. 140, EJ. 8

38-41 **A.** Vas a escuchar cuatro conversaciones en las que varias personas comentan asuntos relacionados con el medioambiente. Escribe de qué hablan.

1 ....

....

....

2 ....

....

....

3 ....

....

....

4 ....

....

....

38-41 **B.** Escucha de nuevo las conversaciones y completa. ¿Cómo dices lo mismo en tu lengua?

1

- Oye, ¿te has enterado de .... parque?
- ○ No, ¿qué parque?
- El parque del Castillo, lo van a cerrar.
- ○ ¡No me digas! ¿Y eso por qué?
- Porque van a hacer un parking.

3

- ¿Has visto .... ha hecho el ayuntamiento al lado de la autopista?
- ○ No. ¿Qué han hecho?
- Han dejado unos terrenos para hacer huertos urbanos... y la gente ya ha empezado a organizarse y a plantar cosas.
- ○ Ah, qué bien. ¿Y tú quieres participar?
- Pues me apetece mucho, me encantaría comer tomates plantados por mí.
- ○ Pues sí, sería genial.

2

- Ya sabes que ahora va a ser obligatorio separar la basura, ¿verdad?
- ○ Sí. Me parece bien, pero .... separar el vidrio por colores es un poco demasiado.
- ¿Cómo por colores?
- ○ Sí, vamos a tener que separar el vidrio por colores, y ponerlos en contenedores separados.
- Pues no sabía nada...

4

- ¿Has leído este artículo sobre cómo ahorrar electricidad?
- ○ Sí, está bien, pero no dice nada nuevo, ¿no?
- Bueno... yo hay cosas que no hago. .... desconectar todos los electrodomésticos es imposible, ¿no crees?
- ○ Bueno, solo hay que desconectar los que se quedan en *stand by*, como las teles, los microondas...
- Ya, ¿pero hacerlo todos los días?

EL CONDICIONAL

	ESTUDIAR	ENTENDER	VIVIR
(yo)	estudiar**ía**	entender**ía**	vivir**ía**
(tú)	estudiar**ías**	entender**ías**	vivir**ías**
(él/ella/usted)	estudiar**ía**	entender**ía**	vivir**ía**
(nosotros/nosotras)	estudiar**íamos**	entender**íamos**	vivir**íamos**
(vosotros/vosotras)	estudiar**íais**	entender**íais**	vivir**íais**
(ellos/ellas/ustedes)	estudiar**ían**	entender**ían**	vivir**ían**

El condicional en español tiene varios usos: expresar deseos difíciles de realizar, opinar sobre acciones y conductas, evocar situaciones imaginarias, aconsejar, pedir de manera cortés que alguien haga algo...

EXPRESAR DESEOS

Especialmente con verbos como **gustar** y **encantar**.

- ***Me encantaría*** *ir en bici al trabajo, pero es que vivo muy lejos.*
- *Ya, a mí también* ***me gustaría****...*

- *¿Has ido alguna vez a un restaurante Km 0?*
- *No, pero* ***me encantaría.***

OPINAR SOBRE ACCIONES Y CONDUCTAS

Yo nunca me ***compraría*** *un despertador solar.*

- *¿Tú* ***irías*** *a cenar a casa de un desconocido?*
- *¿Por qué no? Puede ser muy interesante, ¿no?*

EVOCAR SITUACIONES HIPOTÉTICAS

- *¿Qué* ***harías*** *para mejorar la alimentación?*
- ***Pondría*** *impuestos a los alimentos con grasas saturadas.*

ACONSEJAR, SUGERIR

Con verbos como **poder, deber** y **tener que**.

- *Yo a veces no reciclo porque no tengo espacio en casa...*
- *Pues yo creo que* ***deberías*** *empezar a hacerlo.* ***Podrías*** *comprarte una papelera de esas que están divididas y que no ocupan espacio.*

LÉXICO: MEDIOAMBIENTE P. 142, EJ. 14-17

SUSTANTIVOS	ADJETIVOS	VERBOS
sostenibilidad	sostenible	reciclar
ecología	ecológico	ahorrar
reciclaje	reciclable	gastar
ahorro	reciclado	contaminar
gasto	contaminante	producir
consumo	contaminado	
contaminación		

VALORAR SITUACIONES Y HECHOS

(No) Es **(No) Me parece**	**(i)lógico** **necesario** **suficiente** **(in)justo** **grave** **increíble** **normal** **importante** **estupendo** **terrible** **un horror** **una vergüenza** **una tontería** **...**	**que** + presente de subjuntivo infinitivo*
(No) Está **(No) Me parece**	**(muy) bien / mal**	**que** + presente de subjuntivo infinitivo
Es	**verdad** **cierto** **evidente**	**que** + presente de indicativo

- ***A mí no me parece normal que*** *consumamos productos que vienen de la otra punto del mundo cuando los producimos también aquí...*
- *A ver,* ***es verdad que*** *es extraño, pero* ***no me parece tan grave que*** *lo hagamos así... Es la ley de la oferta y la demanda...*

Está muy bien que *en algunas ciudades prohíban usar el coche todos los días.*

*Usamos el infinitivo cuando el hablante habla de sí mismo o queremos generalizar.
Creo que ***es muy importante*** *hacer todo lo posible por contaminar menos.*

LO DE, LO QUE

Cuando queremos hablar de un tema familiar para los interlocutores o que ha sido mencionado antes, usamos **lo de** y **lo que**.

- *Está muy bien* ***lo de*** *compartir coche: te ahorras gastos, conoces a gente nueva...*
- *¿Sí? Yo no lo he hecho nunca.*

- *¿Has leído* ***lo del*** meal sharing*?*
- *No, ¿qué es?*
- *Resulta que hay gente que invita a desconocidos a comer a su casa, para conocer gente...*

- *¿Has visto* ***lo que*** *ha hecho el ayuntamiento al lado de mi casa?*
- *No, ¿qué?*
- *Unos huertos urbanos. ¡Están superbién!*

9. NOTICIAS P. 140, EJ. 9

A. Imagina que estos titulares de periódico se han publicado hoy en España y que son reales. ¿Qué opinas? Coméntalos con un compañero.

1. Se prohíbe la fabricación de coches altamente contaminantes
2. Se conceden ayudas millonarias para impulsar la agricultura biológica
3. El Gobierno aumenta los impuestos a los aparatos que funcionan con pilas
4. El Gobierno quiere plantar 1 millón de árboles frutales en las ciudades de todo el país
5. Nueva "ecotasa": los turistas deberán pagar 100 euros para entrar en España
6. Los países productores acuerdan subir el precio del café para potenciar su desarrollo

- *A mí me parece muy bien que prohíban fabricar coches muy contaminantes. Hoy en día se pueden fabricar coches que contaminan poco.*
- *No sé, ¿esos coches que contaminan menos no son más caros?*

PARA COMUNICAR

Me parece bien / genial / lógico / raro / mal / horrible **que se prohíban...**

Yo creo que está (muy) bien / mal / fatal **que se prohíban...**

Yo creo que es lógico / normal / fantástico **que se prohíban...**

B. En parejas, escribid un titular imaginario. Luego, leedlo en voz alta. Vuestros compañeros lo comentarán.

10. ¿QUÉ HARÍAIS?

A. Imagina que tienes el poder de cambiar las cosas. ¿Qué harías para mejorar la vida en tu país? Escribe dos ideas para cada objetivo.

Para elevar el nivel cultural en tu país

....

....

....

....

Para mejorar la alimentación en tu país

....

....

....

....

Para conservar la naturaleza de tu país

....

....

....

....

B. Poned en común vuestras propuestas. ¿Aparecen ideas buenas? Comentadlo.

- *Yo haría la escuela gratuita y obligatoria hasta los 18 años.*
- *¿En tu paíso no es así? En el mío sí.*

PARA COMUNICAR

Yo **crearía...**
prohibiría...
haría...
obligaría a...
daría...

11. ¿PODEMOS CAMBIAR LAS COSAS? + P. 139, EJ. 5-6

A. Vamos a pensar en cosas ilógicas, injustas o perjudiciales para el medioambiente, la salud o la convivencia. Dividid la clase en grupos. Primero, cada grupo decide de qué ámbito quiere hablar.

El medioambiente
- Los coches y el transporte
- La energía nuclear
- El fin del petróleo
- La disponibilidad de agua
- Otros: ....

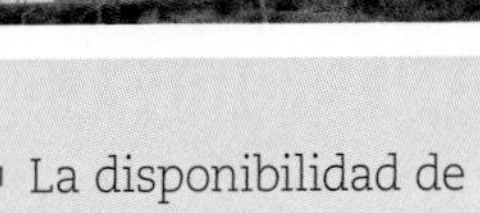
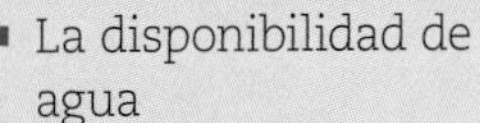

La alimentación
- La obesidad y los problemas alimentarios
- Comida rápida vs. Slow Food
- Los precios de los alimentos
- El hambre en el mundo
- Otros: ....

El mundo del trabajo
- El paro
- Los horarios
- Las diferencias de salario
- El acceso al trabajo
- Otros: ....

La desigualdad entre hombres y mujeres
- En el trabajo
- En la política
- En la escuela
- En casa
- Otros: ....

B. Cada uno piensa en uno o dos problemas o situaciones que se pueden mejorar en el ámbito escogido y las escribe.

No es lógico que mucha gente pase dos o más horas al día en el transporte, yendo al trabajo y volviendo...

C. Cada uno aporta sus ideas y un compañero toma notas de todo. ¿Tenéis ideas o soluciones para mejorar esas situaciones?

- *Yo creo que no es lógico que mucha gente pase tanto tiempo cada día para ir al trabajo y volver.*
- *¿Y qué se puede hacer?*
- *Hombre, los transportes podrían mejorar y...*

D. Ahora, con todas vuestras ideas, vais a crear un nuevo movimiento. Luego, elaborad una presentación para vuestros compañeros.

12. UNA CAPITAL VERDE

A. ¿Cuáles crees que son los criterios para darle a una ciudad el Premio Capital Verde Europea? Anótalos.

B. Vitoria recibió ese premio en 2012. Lee el texto y descubre por qué.

C. Busca en internet qué ciudades han recibido el Premio Capital Verde Europea en los últimos cinco años. ¿Por qué motivos han recibido este premio?

VITORIA CAPITAL

Cada año, la Comisión Europea otorga el Premio Capital Verde Europea a una ciudad que se preocupa de manera especial por el medio ambiente y el paisaje. En 2012, esa ciudad fue Vitoria. ¿Por qué?

PORQUE TIENE UN "ANILLO VERDE".

Alrededor de la ciudad hay una serie de parques de gran valor ecológico y paisajístico que están conectados entre ellos.

PORQUE TIENE UN TRANSPORTE URBANO SOSTENIBLE.

Vitoria ha cambiado la manera de moverse de sus ciudadanos mediante una red de autobuses más eficaz y varias líneas de tranvía. Así ha conseguido aumentar en un 44% los viajes en transporte urbano.

PORQUE HA CREADO UN "PACTO VERDE".

Muchas de las empresas situadas en la ciudad han firmado un "pacto verde" y se han comprometido a mejorar su funcionamiento desde el punto de vista ecológico: ahorrar energía, reciclar, reutilizar material o generar menos residuos.

D. Piensa en tu ciudad. ¿Crees que puede ser candidata a ese premio? ¿Qué debería cambiar para convertirse en una "ciudad verde"?

VERDE

PORQUE EL AIRE QUE RESPIRAN LOS VITORIANOS ES PURO.
La calidad del aire es muy alta y la ciudad cuenta con varias estaciones que controlan a diario esa calidad.

PORQUE AHORRA AGUA.
El ayuntamiento ha impulsado un plan para ahorrar agua y está concienciando a los ciudadanos para que la usen de manera eficaz.

VÍDEO 

aula.difusion.com

EN CONSTRUCCIÓN

¿Qué te llevas de esta unidad?

Lo más importante para mí:

....

....

Palabras y expresiones:

....

....

Algo interesante sobre la cultura hispana:

....

....

Quiero saber más sobre...

....

....

7 MISTERIOS Y ENIGMAS

1. EN ESTE NÚMERO...

A. Mira la portada de la revista *Misterios y enigmas*. ¿Qué temas te interesan más?

B. Comenta con tus compañeros qué sabes o piensas sobre esos temas.

- *¿Tú crees que existe la telepatía?*
- *Sí, yo estoy convencido de que sí.*
- *Pues yo creo que no.*

EN ESTA UNIDAD VAMOS A

ESCRIBIR UN BLOG SOBRE MISTERIOS DE LA CIENCIA

RECURSOS COMUNICATIVOS

- hacer hipótesis y conjeturas
- relatar sucesos misteriosos
- expresar grados de seguridad

RECURSOS GRAMATICALES

- algunos usos del futuro simple y del condicional
- construcciones en indicativo y en subjuntivo para expresar diferentes grados de seguridad

RECURSOS LÉXICOS

- **creer algo / creerse algo / creer en algo**
- sucesos misteriosos y fenómenos paranormales
- psicología
- ciencia

¿EXISTEN LOS OVNIS? | EL MISTERIO DEL TRIÁNGULO DE LAS BERMUDAS | EL SIGNIFICADO DE LOS SUEÑOS

año 5 | Nº49

9 788415 640103

ENERO 2014

Misterios Y ENIGMAS

LÍNEAS DE NAZCA: ¿PISTAS DE ATERRIZAJE PARA LOS EXTRATERRESTRES?

FENÓMENOS PARANORMALES: PREMONICIONES, TELEPATÍA Y SUEÑOS QUE SE HACEN REALIDAD

EL LAGO NESS: ¿UN FRAUDE PARA ATRAER A LOS TURISTAS?

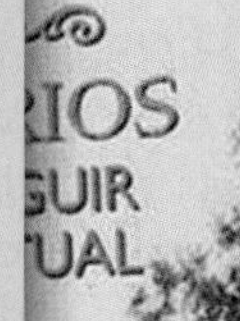

TEST: ¿Eres una persona desconfiada?

La ley de la atracción: una teoría sobre el increíble poder de la mente

2. LAS LÍNEAS DE NAZCA P. 144, EJ. 1-2

A. ¿Sabes qué son las "líneas de Nazca"? Lee la entradilla del artículo y, luego, comenta con tus compañeros quiénes crees que las hicieron y para qué.

- *Yo he leído que era un sistema de escritura antigua.*
- *¿Ah, sí? Pues yo no sabía que existían.*

B. Ahora, lee el resto del texto. ¿Con cuál de las hipótesis estás más de acuerdo? Coméntalo con tus compañeros.

PARA COMUNICAR

Para mí la explicación **más / menos** lógica / convincente **es** la de...
Yo (no) estoy de acuerdo con la teoría de...
A mí (no) me convence la teoría de que **es / son**...

LAS LÍNEAS DE NAZCA

En la región de Nazca, al sureste del Perú, existen, desde hace más de 1500 años, unas espectaculares y misteriosas líneas trazadas en el suelo. Declaradas en 1994 Patrimonio Cultural de la Humanidad por la Unesco, representan uno de los legados más importantes de las culturas preincaicas. Las más espectaculares son las que reproducen animales marinos y terrestres.

Desde que fueron redescubiertas en 1939 (los conquistadores españoles ya las describen en sus crónicas), el enigma de las líneas de Nazca no ha dejado de intrigar a arqueólogos, matemáticos y amantes de lo oculto. Pero, ¿qué son en realidad?

Las líneas de Nazca son rayas y figuras, dibujadas sobre una llanura, que han permanecido intactas durante los años gracias a las particulares condiciones metereológicas y geológicas del lugar. Las más impresionantes son, sin duda, las que representan animales. Hay un pájaro de 300 metros de largo, un lagarto de 180, un pelícano, un cóndor y un mono de más de 100 metros, y una araña de 42 metros. También hay figuras geométricas y algunas figuras humanas.

Teniendo en cuenta que los "dibujantes" probablemente nunca pudieron observar sus obras, ya que solo se pueden apreciar desde el aire o parcialmente desde algunas colinas, la perfección del resultado es asombrosa.

ALGUNAS HIPÓTESIS

- La primera teoría sobre el significado de estas figuras se remonta al siglo XVI. Los conquistadores españoles pensaron que las líneas eran antiguas carreteras o caminos.
- Paul Kosok, el primero en realizar una observación aérea, dijo que se trataba de rutas o caminos para procesiones rituales.
- La matemática alemana Maria Reiche pensaba que las líneas representaban un gigantesco calendario astronómico.
- El suizo Erich von Däniken afirmó que las líneas de Nazca fueron trazadas por extraterrestres para utilizarlas como pistas de aterrizaje para sus platillos volantes.
- Para los arqueólogos, el significado de estas figuras está relacionado con la importancia del agua en la cultura nazca. Según ellos, las líneas servían para canalizar el agua o para marcar corrientes de agua subterránea.
- Algunos historiadores mantienen que las líneas de Nazca representan un antiguo sistema de escritura.
- Otros estudiosos sostienen que son dibujos realizados en honor al dios de la lluvia.

C. ¿Conoces o has oído hablar de otros misterios o enigmas? Coméntalo con tus compañeros.

- *En Inglaterra hay unas ruinas, en Stonehenge, muy curiosas. Dicen que servían como calendario solar.*
- *Pues cerca de donde viven mis padres hay una cueva en la que dicen que...*

3. EXPERIENCIAS PARANORMALES + P. 145, EJ. 3

A. A veces pasan cosas que no tienen una explicación lógica. Aquí tienes algunas. ¿Puedes pensar en otras? Habla con tu compañero y completa la lista.

- Tener una premonición
- Tener sueños que se cumplen
- Tener telepatía
- Tener la impresión de que ya hemos vivido algo
- Oír voces extrañas
- Entender una lengua que nunca hemos oído antes
- Notar una presencia
- Pensar en alguien y encontrárselo poco después
- Otros: ....

- *¿Sabes cuando vas a un lugar por primera vez y tienes la sensación de haber estado antes?*
- *Sí, me ha pasado alguna vez...*

B. Lee estos tres testimonios y relaciónalos con uno de los fenómenos de la lista anterior.

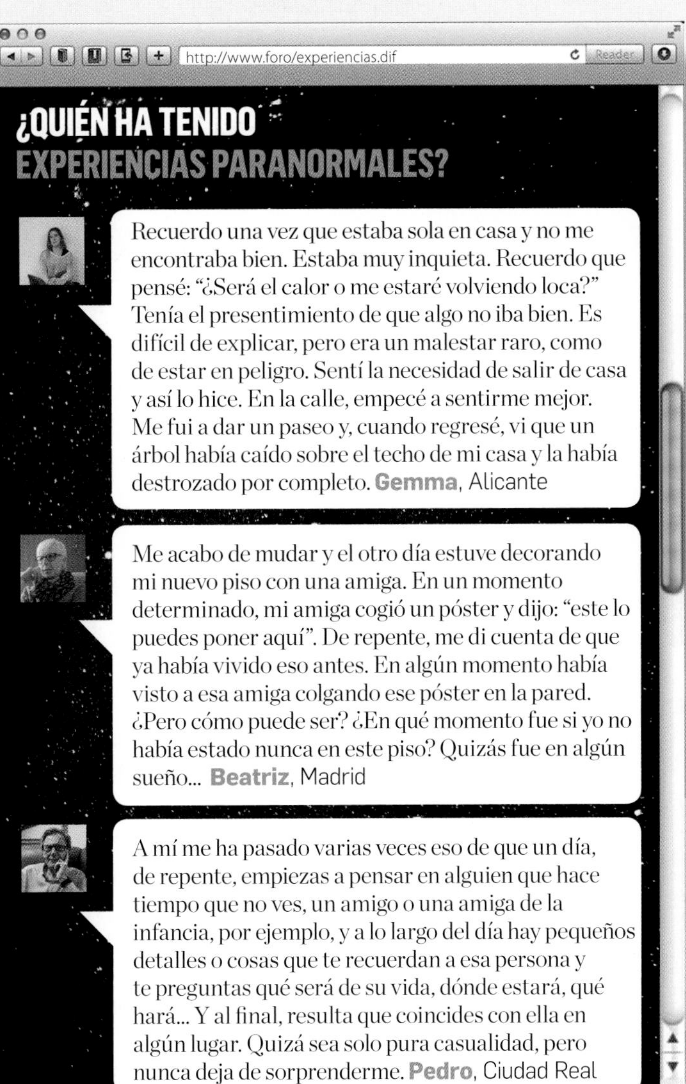

42

C. Ahora, vas a escuchar a una persona relatando una historia. Toma notas. ¿Con cuál de los fenómenos de la lista lo relacionas?

D. Aquí tienes algunas opiniones sobre este tipo de experiencias. ¿Con cuáles estás más de acuerdo? Coméntalo con tus compañeros.

Yo creo que, cuando pasan estas cosas, se trata simplemente de una casualidad.

Puede que exista una forma de comunicación extrasensorial.

Los animales y los hombres tenemos un sexto sentido que apenas hemos desarrollado.

Seguramente, dentro de unos años entenderemos cosas que ahora nos parecen inexplicables...

Para mí, la casualidad no existe.

Lo que pasa es que quizá vemos lo que queremos ver...

- *Yo también creo que, en el futuro, entenderemos...*

4. NO ME LO CREO + P. 146, EJ. 6

Lee estos diálogos y completa el cuadro con **creer** y **creerse**.

1

- ¿Sabes que un científico estadounidense ha descubierto una vacuna contra el miedo?
- ○ ¿En serio?
- Es broma, **¡te lo crees** todo!

2

- ¿Tú crees que algún día se descubrirá una vacuna contra el sida?
- ○ Sí, **creo** que sí, algún día...

3

- He leído que hay unos monjes budistas que son capaces de controlar su mente y no sentir frío.
- ○ ¡Qué dices! ¡No **me lo creo**!

4

- ¿Tú crees que algún día los humanos nos alimentaremos solo con pastillas?
- ○ No **creo**, eso sería muy raro...

Con .... expresamos nuestro grado de seguridad o una opinión.
Con .... decimos si consideramos cierta una información.

5. PUEDE QUE SEA... + P. 148, EJ. 13

A. Aquí tienes una serie de opiniones e hipótesis sobre el misterio del lago Ness y sobre el misterio del Triángulo de las Bermudas. Marca a cuál se refieren en cada caso.

1. El lago Ness

2. El Triángulo de las Bermudas

	1	2
1. **Puede que** sea un monstruo prehistórico.		
2. **Igual** es un fraude para atraer al turismo.		
3. **A lo mejor** son algas que flotan en el agua.		
4. **Quizá** sea una base extraterrestre.		
5. **Es posible que** sea un campo electromagnético que afecta a los barcos y aviones que pasan por allí.		
6. **Quizá** es un "agujero espaciotemporal".		
7. **Seguro que** son animales marinos que entran por canales subterráneos y luego vuelven a salir al mar.		
8. **Tal vez** los barcos y los aviones simplemente se hunden por razones mecánicas.		
9. **Tal vez** sea una entrada a la Atlántida, el continente desaparecido.		
10. **Es probable que** sea una leyenda que surgió porque alguien contó que un gran animal lo había atacado.		

B. Las expresiones que están en negrita sirven para expresar hipótesis. Agrúpalas según si van acompañadas de un verbo en indicativo, en subjuntivo o si pueden ir con ambos.

C. ¿Con cuál de las anteriores partículas expresamos más seguridad? Coméntalo con tus compañeros.

6. EL PODER DE LA MENTE

A. ¿Has oído hablar de la ley de la atracción? Lee este texto y descubre en qué consiste.

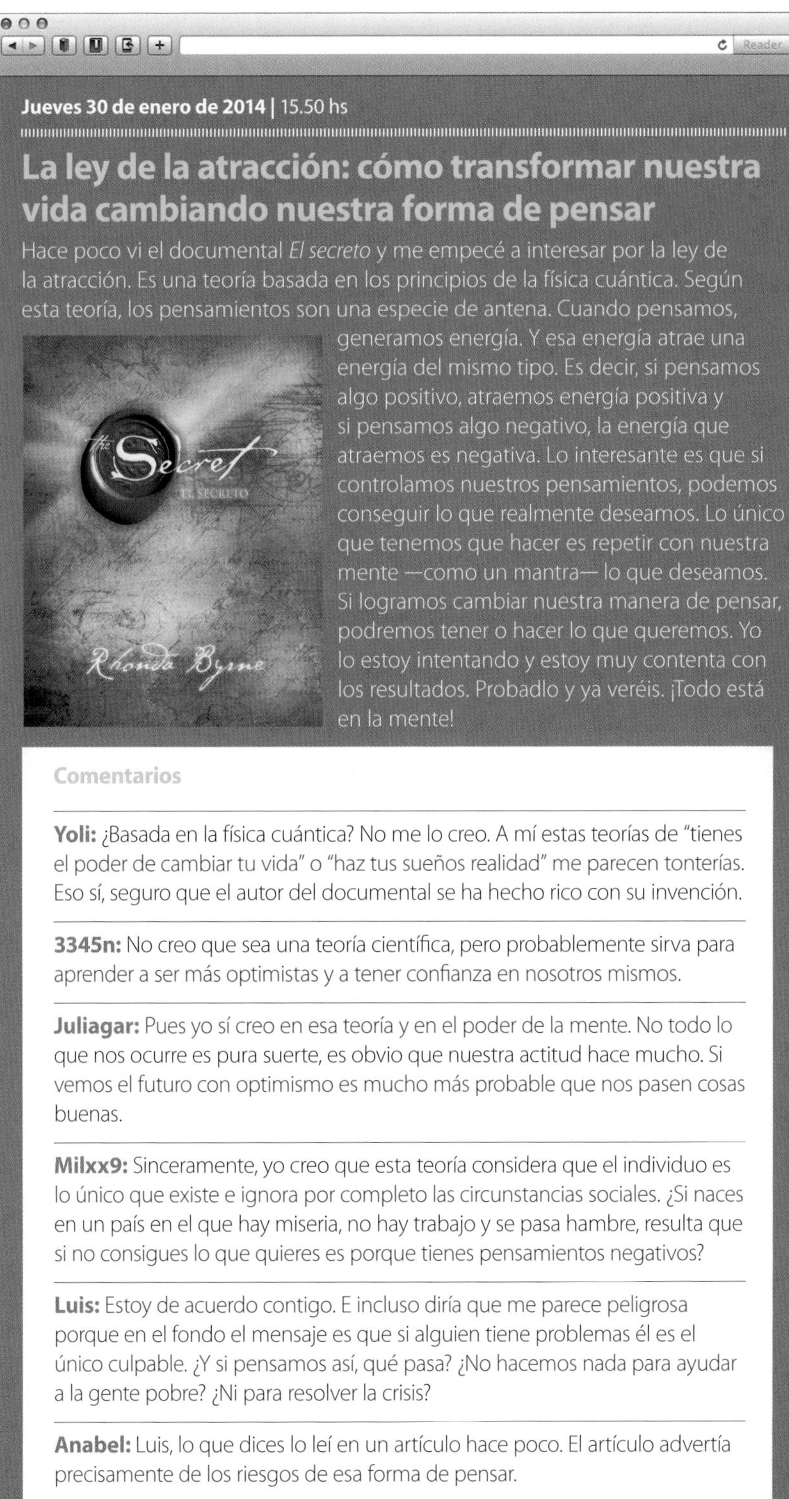

Jueves 30 de enero de 2014 | 15.50 hs

La ley de la atracción: cómo transformar nuestra vida cambiando nuestra forma de pensar

Hace poco vi el documental *El secreto* y me empecé a interesar por la ley de la atracción. Es una teoría basada en los principios de la física cuántica. Según esta teoría, los pensamientos son una especie de antena. Cuando pensamos, generamos energía. Y esa energía atrae una energía del mismo tipo. Es decir, si pensamos algo positivo, atraemos energía positiva y si pensamos algo negativo, la energía que atraemos es negativa. Lo interesante es que si controlamos nuestros pensamientos, podemos conseguir lo que realmente deseamos. Lo único que tenemos que hacer es repetir con nuestra mente —como un mantra— lo que deseamos. Si logramos cambiar nuestra manera de pensar, podremos tener o hacer lo que queremos. Yo lo estoy intentando y estoy muy contenta con los resultados. Probadlo y ya veréis. ¡Todo está en la mente!

Comentarios

Yoli: ¿Basada en la física cuántica? No me lo creo. A mí estas teorías de "tienes el poder de cambiar tu vida" o "haz tus sueños realidad" me parecen tonterías. Eso sí, seguro que el autor del documental se ha hecho rico con su invención.

3345n: No creo que sea una teoría científica, pero probablemente sirva para aprender a ser más optimistas y a tener confianza en nosotros mismos.

Juliagar: Pues yo sí creo en esa teoría y en el poder de la mente. No todo lo que nos ocurre es pura suerte, es obvio que nuestra actitud hace mucho. Si vemos el futuro con optimismo es mucho más probable que nos pasen cosas buenas.

Milxx9: Sinceramente, yo creo que esta teoría considera que el individuo es lo único que existe e ignora por completo las circunstancias sociales. ¿Si naces en un país en el que hay miseria, no hay trabajo y se pasa hambre, resulta que si no consigues lo que quieres es porque tienes pensamientos negativos?

Luis: Estoy de acuerdo contigo. E incluso diría que me parece peligrosa porque en el fondo el mensaje es que si alguien tiene problemas él es el único culpable. ¿Y si pensamos así, qué pasa? ¿No hacemos nada para ayudar a la gente pobre? ¿Ni para resolver la crisis?

Anabel: Luis, lo que dices lo leí en un artículo hace poco. El artículo advertía precisamente de los riesgos de esa forma de pensar.

B. Estas frases resumen las opiniones de las personas que han escrito los comentarios del apartado anterior. ¿De qué personas se trata?

1. **Cree que** esta teoría da demasiada importancia al individuo.
2. **Cree que** es probable que funcione como técnica de autoayuda.
3. **Ha leído** en algún sitio **que** esta teoría puede ser peligrosa.
4. **Está convencida de que** una actitud optimista atrae circunstancias positivas.
5. **Cree que** esta teoría es una tontería y un fraude.
6. **No cree que** sea una teoría científica.
7. **Está segura de que** el que difundió la teoría ha tenido mucho éxito.

C. Fíjate en las frases 1, 2, 5 y 6 del apartado B. ¿Cuándo usamos **creer** + indicativo y cuándo **creer** + subjuntivo?

	creer + indicativo	**creer** + subjuntivo
En frases afirmativas		
En frases negativas		

D. ¿Y tú? ¿Qué piensas sobre esta teoría? Resume en unas frases tu opinión y léesela a tus compañeros. Puedes usar las expresiones en negrita del apartado B.

7. ¿ERES UNA PERSONA DESCONFIADA? P. 147, EJ. 11-12

A. ¿Eres una persona desconfiada? Responde a este test y lee los resultados. ¿Te sientes identificado? Coméntalo con un compañero.

¿Eres una persona desconfiada?

Si quieres saberlo, marca qué sueles pensar en estas situaciones.

1. Un/-a compañero/-a de trabajo te hace un regalo cuando no es tu cumpleaños.

- ☐ A. ¡Qué raro! ¿Qué **querrá**? Seguro que quiere algo a cambio.
- ☐ B. **Estará** enamorado/-a de mí.
- ☐ C. ¡Qué majo/-a! Claro, como soy tan simpático/-a. . .

2. Tu pareja no llega a casa.

- ☐ A. **Me estará** engañando con otro/-a.
- ☐ B. **Estará** tomando algo con los del trabajo.
- ☐ C. **Estará** trabajando. Ya llegará.

3. Recibes una llamada de tu jefa para que te presentes inmediatamente en su despacho.

- ☐ A. Me **querrán** despedir. Seguro.
- ☐ B. Me **querrá** decir que he hecho algo mal.
- ☐ C. Bueno, puedo aprovechar para pedirle un aumento de sueldo.

4. Ves a un compañero de trabajo comiendo con la jefa.

- ☐ A. **Estarán** saliendo juntos.
- ☐ B. Le **estará** haciendo la pelota para obtener un ascenso.
- ☐ C. **Estarán** hablando de trabajo.

5. Un hombre o una mujer se dirige a ti cuando vas por la calle.

- ☐ A. **Querrá** atracarme.
- ☐ B. **Tendrá** la intención de venderme algo.
- ☐ C. **Querrá** preguntarme una dirección.

6. Llamas a un amigo/-a para quedar pero te dice que no puede. Ya te lo ha dicho otras veces.

- ☐ A. No **querrá** verme, **estará** enfadado conmigo.
- ☐ B. **Tendrá** algún problema.
- ☐ C. **Estará** muy ocupado.

7. Te encuentras en la calle con la madre de un buen amigo tuyo pero te saluda muy rápidamente y no se para a hablar contigo.

- ☐ A. No le **caeré** bien.
- ☐ B. No **tendrá** ganas de hablar conmigo.
- ☐ C. **Tendrá** prisa.

RESULTADOS

MAYORÍA DE A:
Eres muy desconfiado/-a y un poco mal pensado/-a. Ante el abanico de posibilidades que se te ofrecen, siempre escoges la más negativa. Si sigues así, puedes acabar sin amigos.

MAYORÍA DE B:
Intentas ser sociable, pero no te fías totalmente de la gente. No ves el lado perverso de las cosas, pero tampoco te dejas llevar siempre por el optimismo y la buena fe.

MAYORÍA C:
Estás tan seguro/-a de ti mismo/-a que nada de lo que ves te parece sospechoso. Eres una persona confiada.

B. Fíjate en las formas verbales destacadas. Están en futuro simple. ¿Para qué sirven?

C. Pepa es muy desconfiada y Luz es muy confiada. Escribe lo que piensa cada una de ellas en estas situaciones, usando el futuro simple. Luego escribe en tu cuaderno lo que pensarías tú.

1. Está en casa y empieza a oler a quemado.
Luz: ¡Se estará quemando todo el edificio!
Pepa:

2. Un compañero de trabajo invita a todos los compañeros a su fiesta de cumpleaños menos a ella.
Luz:
Pepa:

3. Hace tres años que no sabe nada de su ex novio/-a, pero hoy le escribe un mensaje.
Luz:
Pepa:

4. Una vecina que siempre es muy antipática se muestra muy amable ella y la invita a su casa.
Luz:
Pepa:

5. Está en el metro por la noche y en el vagón no hay nadie. Entra un chico y se sienta a su lado.
Luz:
Pepa:

6. En un restaurante, le dan una carta en la que no están escritos los precios.
Luz:
Pepa:

RECURSOS PARA FORMULAR HIPÓTESIS

CON INDICATIVO

Estoy seguro/-a de que **Seguro que** **Seguramente** **Probablemente** **Posiblemente** **Supongo que** **A lo mejor** **Igual***	está bien. se han casado. fueron de vacaciones a París. estaban muy cansados.

* **Igual** se usa solo en la lengua coloquial.

CON SUBJUNTIVO

Lo más seguro es que **Es probable que** **Es posible que** **Puede que**	esté enfermo. tenga problemas. venga pronto.

CON INDICATIVO Y SUBJUNTIVO

Tal vez **Quizá(s)** **Probablemente** **Posiblemente**	está / esté enfermo. viene / venga más tarde.

EL FUTURO SIMPLE

Para formular hipótesis sobre el presente, podemos utilizar el futuro simple.

Afirmamos algo → *Pepe **está** trabajando.*
Planteamos una hipótesis → ***Estará** trabajando*
Invitamos al interlocutor a especular → *¿Dónde **estará** Pepe?*

- *¿Dónde estará tu hermano? Estoy preocupada.*
- *Tranquila, **estará** en la biblioteca, como siempre.*

- *Se ha pasado el día en la cama. Yo creo que le pasa algo.*
- *No... **Estará** cansado o **tendrá** sueño atrasado.*

¿Por qué están tan asustados?
No sé, estarán viendo un fantasma.

OTROS RECURSOS PARA EXPRESAR GRADOS DE SEGURIDAD

Estoy convencido/-a de	+ sustantivo + **que** + Indicativo
Es muy probable / posible	+ **que** + subjuntivo
No estoy muy seguro/-a, pero creo (que) + indicativo	
He leído / visto / oído (no sé dónde) que + indicativo	
Dicen que + indicativo	

Estoy absolutamente convencida de... *... **la existencia** de los extraterrestres.*
*... **que existen** los extraterrestres.*

CREER / CREERSE

Para expresar una opinión, podemos usar la construcción **creer que** + indicativo.
*Yo **creo que** las predicciones del horóscopo no se cumplen nunca.*

Para rechazar una hipótesis o una afirmación previa, usamos **no creer que** + subjuntivo.
*Yo **no creo que** existan los extraterrestres.*

Para expresar una creencia, usamos **creer en** + sustantivo.
- *Los budistas **creen en** la reencarnación, ¿no?*
- *Sí, me parece que sí.*

Para expresar si una afirmación o una opinión nos parece verdad o mentira, usamos **(no) creerse (algo)**.
- *Te prometo que mañana acabo el trabajo.*
- *Lo siento, pero **no me lo creo**.*

8. ESOTERISMO

Aquí tienes una serie de noticias sobre fenómenos paranormales. ¿Qué te parecen? ¿Puedes dar una explicación a alguna de las noticias? Coméntalo con tus compañeros.

- *Yo lo de los ovnis no me lo creo. Seguramente lo que vieron eran estrellas o aviones.*
- *Pues yo sí creo en los extraterrestres. No sé, tal vez los extraterrestres no sean verdes y con antenas, pero...*

SUCESOS DE HOY

AVISTAMIENTO DE OVNIS EN MÁLAGA

Varias personas afirman haber visto ovnis la noche del pasado 23 de junio. La descripción de lo sucedido realizada por uno de los testigos: "Cuatro puntos de luz muy intensos que avanzaban muy lentamente y luego se alejaron a gran velocidad".

DEMONIO O ESQUIZOFRENIA

Fuentes del Vaticano han manifestado hoy que, según sus especialistas, más de la mitad de los 30 000 casos de exorcismos tratados en el año pasado se deben a trastornos de la personalidad y no a posesión demoníaca.

ACAMPAN EN UN BOSQUE Y AMANECEN EN UN LAGO

Un grupo de excursionistas de entre 17 y 20 años supuestamente acamparon la noche del pasado jueves en un bosque. A la mañana siguiente, despertaron en una isla en el centro de un lago.

PODEROSOS OJOS

En Cuzmel (México) una niña de 13 años sorprende a todos sus vecinos por su capacidad para mover objetos (algunos de hasta 50 kilos) con el poder de su mirada. "Solo tengo que abrir los ojos y concentrarme mucho", dijo.

9. LA INTERPRETACIÓN DE LOS SUEÑOS P. 146, EJ. 7-9; P. 147, EJ. 10

A. ¿Habéis soñado alguna vez alguna cosa parecida a la que cuentan estas personas?

PSICOLOGÍA: ¿CON QUÉ SUEÑAS?

Yo últimamente he soñado varias veces con famosos. En cada sueño es un famoso diferente, pero la cuestión es que está por ahí conmigo y yo lo trato como a un amigo. ¿Qué puede significar? >> **Aitor**

Yo sueño a veces que salgo a la calle desnuda o sin alguna prenda de ropa. Muy a menudo salgo descalza o en zapatillas. No recuerdo más detalles, solo sé que paso mucha vergüenza, pero que las demás personas parecen no darse cuenta. >> **Covadonga**

¿Qué significa soñar que te pierdes y que no consigues llegar a tu destino? A mí me pasa mucho eso. >> **Manuel**

Estoy teniendo bastantes pesadillas. Una pesadilla muy recurrente es que me están persiguiendo porque quieren matarme. Nunca me hacen nada porque me escapo, pero me paso todo el sueño sufriendo porque tengo la sensación de que están a punto de alcanzarme. Es horrible. >> **Eli**

B. Comenta con tus compañeros cuál crees que es el significado de los sueños anteriores.

43-46

C. Escucha ahora lo que cuenta un experto en interpretación de sueños y comprueba tus respuestas.

PARA COMUNICAR

Yo he oído / leído que... | **eso significa...**
Dicen que... | **quiere decir...**
Seguramente / Probablemente...

Es probable que... | **eso signifique...**
Puede que... | **quiera decir...**

10. MISTERIOS DE LA CIENCIA

A. Entre todos vais a hacer un blog titulado Misterios de la ciencia. Primero, vamos a decidir qué temas aparecerán. Podéis elegir algunos de estos y proponer otros.

Astrología
- ¿La astrología tiene poder de predicción?
- ¿El movimiento y la situación de los planetas (especialmente el Sol, Marte y la Luna) influyen en nuestro comportamiento?
- ¿Los horóscopos son fiables?

Robots
- ¿En el futuro podremos reproducirnos con robots?
- ¿Los robots sustituirán a los humanos en trabajos importantes?
- ¿Los robots del futuro tendrán inteligencia emocional?

Vida en otro planeta
- ¿Estamos solos en el universo?
- ¿Hemos recibido visitas de los extraterrestres?
- ¿La NASA y la CIA tienen pruebas de que existen los ovnis, pero no las revelan?
- ¿En el futuro podremos construir ciudades en otros planetas?

Sentimientos
- ¿Los sentimientos tienen una explicación científica?
- ¿Algún día existirán medicamentos contra sentimientos como el miedo o el odio?
- La infidelidad: ¿naturaleza o cultura?

B. Ahora vais a hacer grupos. Cada grupo prepara un texto sobre uno de los temas que habéis elegido. Si queréis, podéis buscar información en internet.

Una entrevista
Un reportaje
Un vídeo
Una noticia
Un artículo de opinión

C. Publicad vuestros textos en el blog. Luego, leed los textos de vuestros compañeros y escribid comentarios.

11. PINTURA SURREALISTA

A. ¿Qué sabes de Salvador Dalí y de Frida Kahlo? ¿Crees que tienen algo en común?

B. Mira los cuadros. ¿Qué crees que representan? Coméntalo con tus compañeros. Luego lee el texto y compruébalo.

EL SuRrealiSmO DE SALVADOR DALÍ Y FRIDA KAHLO

El surrealismo surgió en Francia en los años 20 del siglo XX. André Breton, precursor del movimiento, definió el surrealismo como un "automatismo psíquico puro, por cuyo medio se intenta expresar "el funcionamiento real del pensamiento".

El pintor español Salvador Dalí (1904 - 1989) se adhirió en París a este movimiento y fue uno de sus máximos representantes. A Dalí le interesaba entender la realidad a través de los sueños. En sus pinturas, se inspira en los sueños y en los momentos previos al sueño, esos en los que se empieza a mezclar lo real y lo fantástico.

La pintora mexicana Frida Kahlo (1907 - 1954), en cambio, nunca quiso formar parte del movimiento, aunque André Bretón se lo propuso y la consideró una pintora surrealista. La propia Frida dijo sobre ese asunto: "Creían que yo era surrealista, pero no lo era. Nunca pinté mis sueños. Pinté mi propia realidad." A pesar de eso, en 1940 expuso varias de sus obras en la Exposición Internacional de Surrealismo, en París.

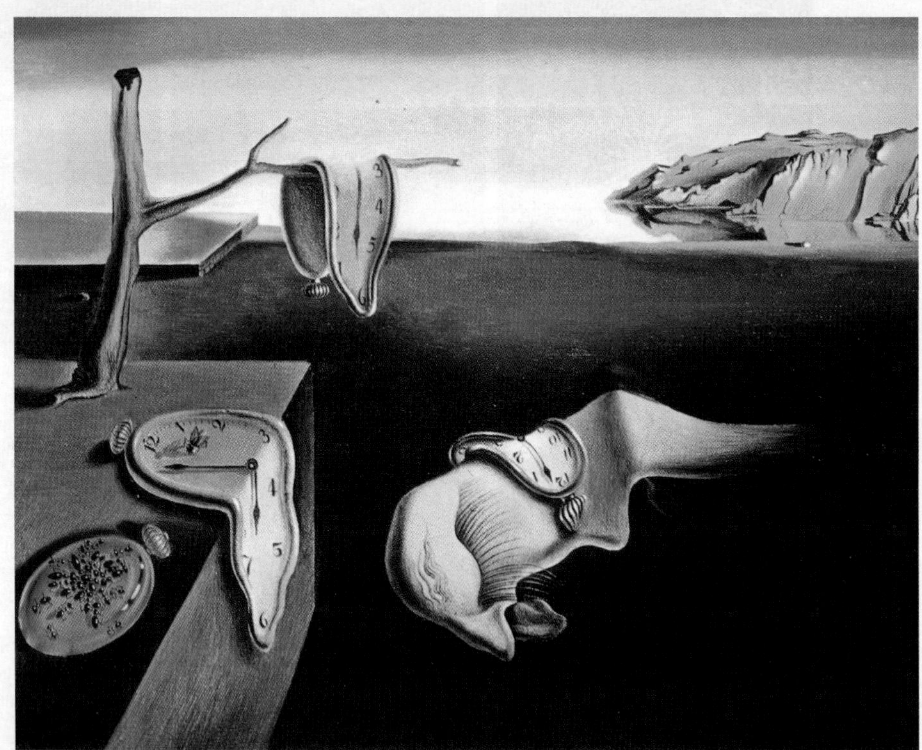

LA PERSISTENCIA DE LA MEMORIA (1931)
Es uno de los cuadros más conocidos de Dalí, y se interpreta normalmente como una alegoría de la subjetividad del tiempo. En él vemos un paisaje de una playa (la bahía de Port Lligat). En la parte izquierda del cuadro hay una mesa de madera, dos relojes blandos, que parece que se derriten, un reloj de bolsillo recorrido por hormigas y un árbol roto con una sola rama. En el centro, la cara de Dalí, con una gran nariz y largas pestañas. Parece que esté durmiendo –o soñando, o recordando– en la playa. Sobre su figura hay otro reloj blando. Dalí dijo que para hacer los relojes se había inspirado en un queso camembert derretido al sol.

C. Entre todos, vais a buscar más cuadros surrealistas de estos pintores. Escribid una descripción y montad una exposición en clase. Aquí tenéis algunos.

- *El sueño* (1937), Dalí
- *Sueño causado por el vuelo de una abeja alrededor de una granada un segundo antes de despertar* (1944), Dalí
- *La tentación de San Antonio* (1946), Dalí
- *Lo que el agua me dio* (1938), Kahlo
- *Ciervo herido* (1932), Kahlo
- *Raíces* (1943), Kahlo

LAS DOS FRIDAS (1939)
En este cuadro vemos dos autorretratos de Frida Kahlo. Las dos Fridas se cogen de la mano y sus corazones están unidos por una arteria. Sin embargo, uno está sano y el otro, no. La Frida de la izquierda lleva un traje europeo y la de la derecha, uno tradicional mexicano, como el que llevaba la pintora cuando se casó con Diego Rivera. Frida pintó este cuadro después de su divorcio. El corazón herido es el de la Frida que se casó.

VÍDEO

aula.difusion.com

EN CONSTRUCCIÓN

¿Qué te llevas de esta unidad?

Lo más importante para mí:

....

....

Palabras y expresiones:

....

....

Algo interesante sobre la cultura hispana:

....

....

Quiero saber más sobre...

....

....

8 ¿Y QUÉ TE DIJO?

EMPEZAR

1. EL TRABAJO P. 154, EJ. 12

A. Estas son palabras relacionadas con el trabajo. ¿Comprendéis qué significan?

- *Yo no sé qué es "nómina".*
- *Creo que es...*

B. Marca las palabras que más necesitas tú para hablar de tu trabajo.

- *Yo he marcado "funcionario", porque soy funcionario del Gobierno holandés. "Nómina", porque es importante y no conocía esa palabra...*

EN ESTA UNIDAD VAMOS A

TOMAR PARTIDO EN UN CONFLICTO ENTRE DOS PERSONAS

RECURSOS COMUNICATIVOS

- transmitir órdenes, peticiones y consejos
- referir lo que han dicho otros en el pasado

RECURSOS GRAMATICALES

- estilo directo e indirecto

RECURSOS LÉXICOS

- **ir** y **venir**
- **llevar** y **traer**
- el trabajo

2. CHICO PARA TODO P. 154, EJ. 11

47 Toni trabaja como "chico para todo" en un estudio de arquitectos. Esta mañana no ha ido a trabajar. Cuando llega por la tarde, la secretaria le informa de lo que tiene que hacer. Escucha la conversación y escribe qué le pide en cada caso.

DURÁN QUIRÓS
ARQUITECTOS
1. Le pide que vaya ....
2. Le dice que intente ....
3. Le pide que lleve ....
4. Le pide que recoja a ....
5. Le pide que lleve ....
6. Le pide que haga ....

3. ME DIJERON QUE TENÍA QUE PAGAR P. 150, EJ. 2

A. ¿Has sentido alguna vez que te querían estafar? Estas personas sí. En grupos de tres, cada uno va a leer uno de los testimonios. Después, se lo contará a sus dos compañeros.

¿Te han estafado alguna vez?

Nicolás, 31 años

Una vez, buscando trabajo, me intentaron estafar. Resulta que leí un anuncio en el que buscaban a jóvenes universitarios para trabajar desde casa por internet. El anuncio decía que podías ganar hasta 2000 euros al mes. Llamé al teléfono que ponía en el anuncio y me invitaron a ir ese mismo día a una entrevista. En la entrevista me dijeron que podía empezar esa misma semana, pero que tenía que comprarles un ordenador y un programa concretos, por valor de 1500 euros. Me pareció muy sospechoso y no lo hice. Unas semanas después, me encontré por la calle a una chica que había conocido el día de la entrevista. Me contó que todo era una gran estafa y que la empresa había desaparecido del mapa sin entregar un solo ordenador.

Marta, 30 años

Hace unos años, me compré un electrodoméstico de esos que anuncian por la tele. Era una máquina para hacer pan y tartas, que costaba 170 euros. Pagué con la tarjeta y, dos semanas más tarde, aún no había llegado. Llamé y me dijeron que tenía que esperar porque había muchos pedidos. Al cabo de una semana, lo recibí, pero no tenía nada que ver con lo que anunciaban en la tele: ni hacía tartas ni era tan fácil como decían, y lo peor es que para utilizarlo había que comprar un montón de accesorios carísimos que solo te podían vender ellos. Total, que les llamé para devolverlo y me dijeron que tenía que pagar el transporte de vuelta. Yo me negué y me dijeron que no me podían devolver el dinero si no pagaba el transporte. Así que al final me quedé con un aparato carísimo que no sirve para nada.

Joaquín, 38 años

Hace dos años buscaba piso de alquiler. Un día, vi en el periódico un anuncio de uno que estaba muy bien: bastante grande, muy bien situado y muy barato. Llamé y me dijeron que ese ya estaba alquilado, pero que tenían una lista con pisos parecidos y que, si me interesaba, podía pasar por la agencia a recoger la hoja con los pisos. Me pareció extraño, pero fui. Allí me hicieron rellenar un formulario con un montón de datos. Cuando les pregunté para qué era todo eso, me dijeron que la lista costaba 200 euros pero que me los devolverían al encontrar piso. Evidentemente, no pagué nada y me fui directamente a la asociación de consumidores para poner una queja. La asociación puso una denuncia contra la agencia y el juez los condenó a pagar una multa considerable.

B. Los tres casos están resumidos en estos recuadros, aunque las frases están desordenadas. Identifica las tres historias y ordena las frases.

....

- Le pidieron dinero a cambio de una lista de precios.
- Llamó a una agencia para informarse sobre un piso.
- La justicia le dio la razón.
- No lo hizo y presentó una queja en la asociación de consumidores.
- Le dijeron que ese ya estaba alquilado, pero que tenían otros parecidos.

....

- Llamó y le dijeron que le harían la entrevista ese mismo día.
- Se enteró después de que todo era una estafa.
- Le ofrecieron empezar esa semana.
- Vio un anuncio de trabajo interesante en el periódico.
- Le pareció extraño y no aceptó el trabajo.
- Le pusieron una condición: comprar un ordenador y unos programas.

....

- Quiso devolverlo, pero le obligaban a pagar el transporte.
- Al final, no pagó el transporte, pero lo tiene todavía en casa.
- Adquirió un aparato de cocina por teléfono.
- Cuando llegó, el aparato no era como lo describía la publicidad.
- Tuvo que esperar mucho tiempo para recibir el producto.

C. ¿Conocéis experiencias parecidas? ¿Qué crees que hay que hacer cuando te encuentras en una situación de este tipo? Coméntalo con tus compañeros.

- *Yo creo que, si te piden que pagues algo y no lo ves claro, lo mejor es...*

4. MENSAJES P. 150, EJ. 1

48

A. Carlota se ha olvidado el móvil en casa y algunas personas le han dejado mensajes en el contestador. Escúchalos y toma notas.

B. Carlota llama a Juan, su marido, para que escuche él los mensajes y le diga de qué se trata. Observa cómo lo hace y fíjate en la estructura **que** + subjuntivo. ¿Crees que transmite una información o una petición?

1. Ha llamado Alberto Vázquez. **Dice que** por favor lo **llames** antes de las tres al móvil.

2. También ha llamado Rita, de Contabilidad. **Dice que** no **te olvides** de pasarle la última factura de compra de material.

3. Y te ha dejado un mensaje Patricia. Hoy tenéis la cena con los alemanes. **Dice que** la **recojas** en su casa a las 20 h y **que te lleves** una chaqueta, que la cena será al aire libre.

5. JORDI Y XOÁN

A. A Jordi y a Xoán hoy les han dicho cosas muy bonitas. Cuando han llegado a casa, se lo han contado a su familia. Fíjate en que, cuando transmiten lo que les han dicho, en los dos casos se producen cambios. ¿Qué cambios son?

"Vente a vivir conmigo."

"Eres el mejor trabajador de la empresa."

"Esta tarde Ana me ha pedido que me vaya a vivir con ella."

"Hoy mi jefe me ha dicho que soy el mejor trabajador que tiene."

vente a vivir	que **me vaya** a vivir
eres el mejor trabajador	que **soy** el mejor trabajador

B. Imagina que eres Jordi y que te han pedido estas cosas. Transforma las peticiones a estilo indirecto.

1. Tu novia: "Jordi, preséntame a tus padres." → Mi novia me ha pedido que ....
2. Tu compañera de piso: "Jordi, ¿me traes un bocadillo, por favor?" → Mi compañera de piso me ha dicho que ....
3. Tu hermano: "Jordi, ¿me dejas tu traje azul?" → Mi hermano me ha pedido que ....
4. Tu jefe: "Jordi, concéntrate, que últimamente te veo muy despistado." → Mi jefe me ha dicho que ....
5. Una dependienta: "Lo siento, tiene que dejar la mochila en la entrada." → La dependienta me ha pedido que ....

6. ME DIJO QUE... P. 151, EJ. 3

49

A. Javi hizo una entrevista de trabajo hace dos semanas y ahora se lo cuenta a una amiga. ¿Qué le pasó? ¿Conoces experiencias parecidas?

B. Lee la transcripción y completa el cuadro. En la columna de la izquierda tienes algunas frases que le dijo la entrevistadora. ¿Con qué tiempos verbales lo transmite Javi? Completa la otra columna con frases de la transcripción.

- ¿Qué tal la entrevista de trabajo que tuviste? ¿Fue la semana pasada?
- Uf... No, hace unas dos semanas. Si te cuento... Cada vez me pasan cosas más raras.
- ¿Qué pasó?
- Bueno, te conté que era una entrevista para hacer una sustitución en un banco, ¿no?
- Sí, sí, de seis meses, ¿no? Y muy bien pagado...
- Sí. Pues mira, la entrevista fue genial. Me la hacía la persona con la que tendría que trabajar y noté que había *feeling*, ¿sabes? Y yo creo que ella también lo pensó. Es más, **me dijo que** estaba muy contenta de haber encontrado a alguien como yo. Así que nada, pensé que seguro que me daban el trabajo.
- ¿Y?
- Pues tres días después me llamó y **me dijo que** lamentablemente habían elegido a otra persona, **y que** esa misma mañana había empezado a trabajar. **Me contó que** habían estado toda la semana anterior dudando entre el otro candidato y yo, **pero que** al final lo habían elegido a él. Pero **empezó a decirme que** yo era un candidato ideal, **que** era una pena no poder trabajar conmigo, **que** tenía muchas cualidades...
- Jo, y ¿entonces por qué no te cogieron?
- Pues eso mismo le pregunté yo. Claro, **le pregunté qué** es lo que le había hecho decidirse por el otro. ¿Y sabes qué me dijo?
- ¿Qué?
- Bueno, pues al principio no me lo quería decir. **Me dijo que** le daba mucha vergüenza contármelo y tal. Pero al final dijo ¡**que** no me habían elegido porque llevaba gafas!
- No. ¿En serio?
- Sí, tía, sí. **Que** era una lástima, **pero que** en ese tipo de trabajo era muy importante la imagen y **que** mi aspecto no pegaba con el perfil que buscaban.
- ¿De verdad? ¡Qué chorrada!
- Me quedé tan sorprendido que no sabía qué decir. Y ella tampoco. Se disculpó y **me dijo que** estas cosas antes no pasaban, **pero que** ahora el departamento de Recursos Humanos tenía mucha influencia **y que** tenían otros criterios para elegir al personal... En fin... Y al final **me dijo que** me llamaría si salía otra oferta de trabajo. Lo típico.
- Pues lo siento mucho, Javi... ¡Pero qué fuerte que pasen estas cosas!

ESTILO DIRECTO	ESTILO INDIRECTO
Presente "Estoy muy contenta de haber encontrado a alguien como tú." "En este tipo de trabajo es muy importante la imagen." "El departamento de Recursos Humanos tiene mucha influencia."	Pretérito imperfecto Me dijo que .... Me dijo que .... Me dijo que ....
Pretérito imperfecto "Antes estas cosas no pasaban."	______ Me dijo que ....
Pretérito perfecto "Hemos elegido a otra persona." "Esta misma mañana ha empezado a trabajar."	______ Me dijo que .... Me dijo que ....
Pretérito indefinido "Mira, estuvimos toda la semana pasada dudando entre otro candidato y tú."	______ Me dijo que ....
Futuro simple "Te llamaré."	______ Me dijo que ....

7. ¿VAS A VENIR PARA LA REUNIÓN? P. 155, EJ. 17

A. Lee los siguientes diálogos. ¿En tu lengua existen palabras equivalentes para los verbos marcados en negrita? ¿Se usan igual?

Abel, ¿puedes **traerme** a mi despacho las facturas, por favor?
Sí, las tengo aquí. ¿Te **llevo** también las nóminas que me pediste?

50

B. Completa la siguiente conversación entre dos compañeros de trabajo con los verbos **ir**, **venir**, **llevar** y **traer** en la forma que corresponda. Luego, escucha y comprueba.

- ¿Diga?
- Hola, Loli, soy Héctor. ¿Me pones con Míriam, por favor?
- Sí, ahora te la paso.
- ...
- Hola, Héctor, ¿qué tal el congreso?
- Bien, muy bien. Hay mucha gente y todo está yendo genial. Tú vas a .... por la tarde, ¿no?
- Sí, a las 15:30 h, después de comer.
- De acuerdo, pues ¿me puedes .... los comprobantes de pago de algunos de los asistentes, por favor? Es que nos los hemos dejado. Están en mi mesa.
- Vale. ¿Te .... algo más?
- Pues si puedes, ... algo de dinero, porque nos estamos quedando sin cambio. La gente está comprando un montón de libros.
- De acuerdo.
- Pues gracias. Bueno, nos vemos luego.
- Oye, Héctor, qué es lo mejor para .... ahí? ¿Hay alguna parada de metro o de autobús cerca?
- No, mira, lo mejor es que .... en taxi, porque esto está bastante lejos de todo.

C. Míriam le cuenta a otra compañera lo que le ha dicho Héctor. ¿Cómo se lo dice? ¿Qué cambios se producen en los verbos?

1. "¿Me puedes traer los comprobantes de pago de algunos asistentes?"

Héctor me ha dicho que ....

2. "Si puedes, trae algo de dinero."

Me ha pedido que ....

3. "Lo mejor es que vengas en taxi."

Me ha dicho que ....

TRANSMITIR ÓRDENES, PETICIONES Y CONSEJOS

Cuando la orden está aún vigente, es decir, cuando la orden aún se puede cumplir, se transmite mediante la estructura **que** + presente de subjuntivo.

¡Pasa esta tarde por casa!

¿Por qué no me ayudas a hacer los ejercicios? Por favor...

Deberías comprarte un coche nuevo.

Le ha dicho que *pase esta tarde por su casa.*
Le ha pedido que *le ayude a hacer los ejercicios.*
Le ha recomendado que *se compre un coche nuevo.*

TRANSMITIR LAS PALABRAS DE OTROS EN EL PASADO

ESTILO DIRECTO

En el estilo directo citamos textualmente las palabras dichas.
Ana, estás muy guapa. ➔ *Le dijo: "Ana, estás muy guapa."*
¿Has estado alguna vez en Asia? ➔ *Le preguntó: "¿Has estado alguna vez en Asia?"*
De pequeño no eras tan tímido... ➔ *Le dijo: "De pequeño no eras tan tímido..."*
¿Sabes? Ayer te vi por la calle. ➔ *Le dijo: "Ayer te vi por la calle."*
Marta, no podré ir a tu fiesta mañana. ➔ *Le dijo: "Marta, no podré ir a tu fiesta."*

ESTILO INDIRECTO P.152, EJ. 5-6; P. 153, EJ. 7-8

En el estilo indirecto algunos tiempos verbales cambian.

PRESENTE	VERBO + QUE + PRETÉRITO IMPERFECTO
Trabajas demasiado.	**Le dijo que** trabajaba demasiado.
PRETÉRITO PERFECTO	**PRETÉRITO PLUSCUAMPERFECTO**
¿Has comido ya?	**Le preguntó si** había comido ya.
PRETÉRITO INDEFINIDO	**PRETÉRITO PLUSCUAMPERFECTO**
¿Fuiste al cine ayer, al final?	**Le preguntó si** había ido al cine.
PRETÉRITO IMPERFECTO	**VERBO + QUE + PRETÉRITO IMPERFECTO**
Antes mis padres vivían en Londres.	**Le contó que** antes sus padres vivían en Londres.*
FUTURO SIMPLE	**VERBO + QUE + CONDICIONAL SIMPLE**
Este año no iremos al extranjero de vacaciones.	**Le comentó que** este año no irían de vacaciones al extranjero.

! Cuando el verbo en estilo directo está en pretérito imperfecto, no cambia en estilo indirecto.

! Cuando queremos expresar que la información que transmitimos sigue vigente, el tiempo verbal no cambia.
*Lola: "**Estoy haciendo** un máster."*
➔ *Ayer me encontré a Lola y me dijo que **está haciendo** un máster.*

También sufren transformaciones otras palabras que tienen que ver con el contexto: tiempo, espacio, personas que hablan...

	Le dijo que...
"Llega **hoy**."	llegaba **ese / aquel día**.
"Llega **mañana**."	llegaba **el día siguiente**.
"Llega **esta tarde**."	llegaba **esa / aquella** tarde.
"Llega **dentro de** tres días."	llegaba **al cabo de tres días**.
"Puedes quedarte **aquí**." (en Cuenca)	se podría quedar **allí**. (si el que habla no está en Cuenca)
"¿Has probado **esto**?"	si había probado **eso**.
"María **vendrá** a Madrid."	María **iría** a Madrid (el que habla no está en Madrid).
"¿Puedes **traer** los periódicos a casa?"	si podía **llevar** los periódicos a casa (si el que habla no está en casa).
"**Mi** hermana se llama Ana."	**su** hermana se llamaba Ana.

LÉXICO: VENIR, IR, TRAER, LLEVAR

- ¿Vas a **venir** para la reunión del día 25?
- No, al final la haremos por videoconferencia, porque ese día no puedo **ir** a Barcelona...

- Abel, ¿puedes **traerme** las facturas, por favor?
- Sí, ahora mismo. ¿Te **llevo** también las nóminas que me pediste?
- ¡Ah, sí! Gracias.

8. ¡VAYA LÍO! P. 153, EJ.10

A Ramón le regalaron hace una semana unos pantalones. Como le quedaban pequeños y no le gustaban mucho, decidió cambiarlos, pero no fue fácil. Lee esta conversación que ha tenido hoy con un amigo e intenta reconstruir todas las conversaciones originales.

- ○ Resulta que el otro día mi madre me regaló unos pantalones de Modas Tara, no me gustaban mucho y, además, me quedaban muy pequeños.
- ● ¿Y qué hiciste?
- ○ Pues, primero, los llevé a la tienda de la calle Princesa y allí me dijeron que no me los podían cambiar porque los había comprado en otra tienda.

- ● Ya.
- ○ O sea, que fui a la tienda del paseo Picasso y allí me pidieron el tique de compra.
- ● ¿Y lo tenías?
- ○ Pues no. Y me dijeron que, sin tique, no me los podían cambiar.

- ● Hombre, eso siempre es así, ¿no?
- ○ Sí, supongo. Bueno, la cuestión es que tuve que ir a casa a buscar el tique y, cuando volví a la tienda, me dijeron que, del modelo que quería, ya no quedaba mi talla, y que les llegarían más la semana siguiente.

- ● O sea, ¿que esperaste una semana?
- ○ No, les dije que en la tienda de la calle Princesa sí que había de mi talla y que si podían llamar allí para pedirles unos.
- ● ¿Y lo hicieron?
- ○ Sí, sí, al final los pude cambiar.
- ● ¡Pues vaya lío para cambiar unos pantalones!
- ○ Pues sí, la verdad.

9. ¿TIENE USTED EXPERIENCIA?

51-52

A. Hace 15 días, Sandra vio un anuncio de trabajo por internet. Ese mismo día, llamó por teléfono para informarse sobre el puesto. Unos días más tarde, tuvo una entrevista. Vamos a dividir la clase en dos grupos: A y B. Leed lo que tenéis que hacer.

Grupo A
1. Vais a oír la conversación telefónica de Sandra y a tomar notas de todo lo que sucede: con quién habló, qué le preguntaron, qué le dijeron, etc.
2. El grupo B escucha la entrevista. Mientras tanto, vosotros esperáis fuera de la clase.

Grupo B
1. El grupo A escucha la conversación telefónica de Sandra. Mientras tanto, vosotros esperáis fuera de la clase.
2. Vais a oír la entrevista y a tomar notas de todo lo que sucede: con quién habló, qué le preguntaron, qué le dijeron, etc.

B. En parejas formadas por un miembro del grupo A y otro del B, vais a poner en común toda la información que tenéis. ¿En qué consiste el trabajo? ¿Os gustaría hacerlo?

10. EL LOCAL DE LA DISCORDIA

53

A. David y Claudia son autónomos y llevan un tiempo colaborando. Hace diez días, decidieron montar una empresa juntos y alquilar un local. Escucha la conversación que tuvieron y anota en tu cuaderno qué dijo cada uno.

B. Esa misma tarde, Claudia fue a ver un local y le encantó. Firmó un contrato por un año y pagó por adelantado 2100 euros en concepto de los tres primeros meses de alquiler, pero no lo consultó con David. A David no le pareció bien. Lee este correo para entender cómo está ahora la situación.

C. ¿Creéis que David debe pagar la mitad de los 2100 euros? Debatidlo en clase.

- *Yo creo que David tiene que pagar.*
- *¿Por qué?*
- *Por varias razones. Primero, porque le dijo que tenían que buscar un local...*

D. Ahora, en pequeños grupos, y según vuestra opinión, responded al correo de Claudia en nombre de David.

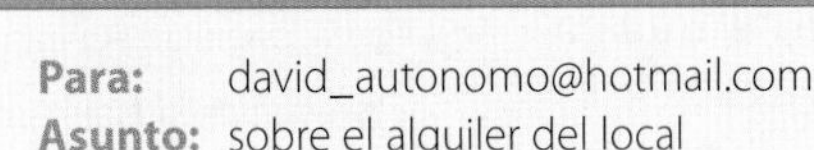

Para: david_autonomo@hotmail.com
Asunto: sobre el alquiler del local

David:

Como no he podido hablar contigo por teléfono en todo el día (¡¡siempre tienes el móvil desconectado!!), te escribo este correo. Creo que tenemos que solucionar de una vez el asunto del local. Si ahora dices que no quieres montar la empresa conmigo, aunque me parece una irresponsabilidad porque ya llevamos mucho tiempo planeándolo, lo acepto. Al fin y al cabo, aún no hemos registrado la empresa en el Registro Mercantil. Pero lo que no puedo aceptar de ningún modo es que no quieras pagar lo que te corresponde.

El lunes decidimos que buscaríamos un local para nuestra empresa. Tú no podías ir a ver locales porque tenías que quedarte esa tarde con tus hijos. De acuerdo. Me preguntaste si podía hacerlo yo, y eso es lo que hice. Encontré una oportunidad perfecta, un local fantástico y a buen precio, y pagué la fianza. ¡Y ahora dices que no lo ves claro, que no quieres montar la empresa conmigo y que no piensas ni siquiera pagarme la mitad del dinero que pagué! ¡Es increíble! Me parece muy injusto. Solo te pido que seas un poco responsable y que pagues tu parte. De lo demás ya hablaremos, pero, por lo menos, paga.

Espero tu respuesta.

Claudia

11. NUEVAS FORMAS DE TRABAJAR

P. 153, EJ. 9; P. 154, EJ. 13-14; P. 155, EJ. 15-16

A. ¿Conoces gente que trabaje desde su casa? ¿A qué se dedican? ¿Cómo lo hacen? Coméntalo con tus compañeros.

B. Leed el texto y, en parejas, contestad las siguientes preguntas.

1. ¿Qué herramientas hacen posible el teletrabajo? ¿Cuáles usas tú?
2. ¿Cuáles son las ventajas e inconvenientes del teletrabajo, según el texto? ¿Estáis de acuerdo? ¿Añadiríais otras?
3. ¿Qué crees que es el "síndrome del pijama"?
4. ¿Crees que la "cultura del trabajo" en tu país es distinta a la de España? ¿Por qué?

C. ¿Qué crees que es mejor: trabajar desde casa o transformar el lugar de trabajo para que se parezca a una casa? Comentadlo en grupos.

D. Piensa en alguien que conoces que puede llevar la vida profesional que lleva gracias a las nuevas tecnologías. Escribe su historia. Luego, preséntasela a tus compañeros.

EL TRABAJO ES PORTÁTIL

Dicen que el siglo XXI será el del teletrabajo. El trabajo ya no se situará en un lugar concreto, sino allí donde haya alguien con ideas, capacidad y ganas de esforzarse. Cada vez más personas trabajan en su casa, en el aeropuerto, en el tren... Solo les hace falta un ordenador y una buena conexión a internet. Hoy en día, el trabajo es portátil.

Nuevas tecnologías

Ese cambio se ha hecho posible gracias a las nuevas tecnologías. Las redes de wifi, los ordenadores portátiles, los programas de comunicación y aplicaciones para compartir archivos han facilitado que el trabajo se pueda hacer desde cualquier lugar.

Nuevos perfiles de trabajador

Para los autónomos, el teletrabajo es ideal: resulta mucho más cómodo y barato trabajar en casa que tener que alquilar un local. Pero también muchas empresas están dando libertad a sus empleados para que trabajen desde casa.

Mayor productividad...

Las ventajas de trabajar donde uno quiera son múltiples. El trabajador se ahorra tiempo en transporte y en reuniones, elige su lugar de residencia (un pueblo, una pequeña ciudad, otro país...) y le resulta más sencillo conciliar su vida profesional y familiar. Las empresas también reducen costes (ahorro de electricidad, menos gastos en alquiler de oficinas...). Además, trabajar en casa aumenta la productividad: entre un 5 y un 25%, según las encuestas. ¡Todos salen ganando!

...pero menos colaboración

Aunque no todo son ventajas. Los trabajadores corren el riesgo de sentirse aislados. Se relacionan menos con sus compañeros y acaban colaborando menos. Eso piensa Marissa Mayer, directora ejecutiva de Yahoo, que prohibió en 2013 el teletrabajo, alegando que "los trabajadores son más productivos cuando trabajan solos, pero son más innovadores y colaborativos cuando están juntos. Algunas de las mejores decisiones e ideas provienen de las discusiones de pasillo y cafetería." Además, para algunas personas puede resultar confuso vivir y trabajar en el mismo espacio. Se requiere mucha autodisciplina y organización para vencer el llamado "síndrome del pijama."

¿Por qué en España hay menos teletrabajo?

Según un estudio de Online Business School, el 27% de las empresas españolas apuesta hoy por el teletrabajo, mientras que en 2003 solo un 7% lo hacía. Aun así, en España la mayoría de empresas son reticentes a esa forma de trabajo. Según el directivo Fernando Hernández, eso se debe a la cultura del trabajo española: "En España el jefe necesita controlar al empleado y no se fía si no ve que está trabajando. Además, se tiende a pensar que si un trabajador sale a las 17 h cuando su horario laboral termina a las 19 h es porque no está interesado en el trabajo y no porque sea tan eficiente que ya haya terminado. Tenemos que cambiar esa manera de pensar."

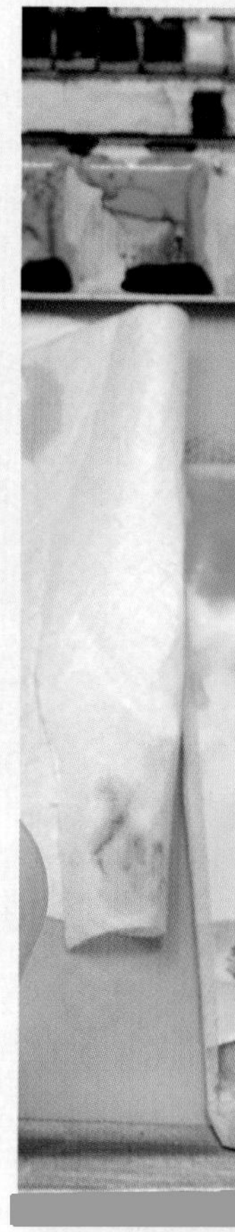

Ricardo Blasco
Ricardo es un ejemplo de estos nuevos perfiles de trabajador. Es ilustrador y hace cuatro años se fue a vivir a Costa Rica, "por amor. Conocí a una chica de allí y decidimos irnos a vivir a una casita al lado del mar. Es un lugar precioso. Aquí llevo una vida mucho más tranquila que en Madrid." Ricardo es autónomo y trabaja para varias empresas españolas. "No es un problema que esté al otro lado del charco. Tengo un blog en el que muestro todo mi trabajo, me conecto a Skype cuando es necesario (¡aunque aquí sean las 5 de la mañana!) y a mis clientes lo que les importa es la calidad de mi trabajo, ¡no si estoy cerca o lejos!".

La revolución desde dentro
Algunas empresas han optado por cambiar la forma de trabajar desde dentro, rediseñando los espacios de trabajo. Es el caso de la sede de Desigual, en Barcelona, un lugar sin despachos ni escritorios, ni ordenadores fijos. Los empleados no tienen un lugar asignado: se dirigen cada día a la sala más adecuada para realizar el trabajo que los ocupa en ese momento. Las salas no parecen las de una oficina, sino más bien las de una casa u hotel de lujo. La idea es que si el trabajador se siente como en casa, disfrutará trabajando.

VÍDEO

aula.difusion.com

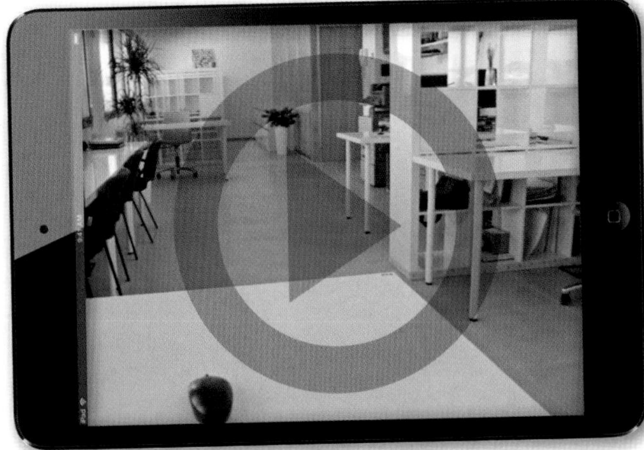

EN CONSTRUCCIÓN

¿Qué te llevas de esta unidad?

Lo más importante para mí:

....

....

Palabras y expresiones:

....

....

Algo interesante sobre la cultura hispana:

....

....

Quiero saber más sobre...

....

....

Cómo voy a recordar y practicar lo que he aprendido:

....

....

MÁS EJERCICIOS

Este es tu "cuaderno de ejercicios". En él encontrarás actividades diseñadas para fijar y entender mejor cuestiones **gramaticales** y **léxicas**. Estos ejercicios pueden realizarse individualmente, pero también los puede usar el profesor en clase cuando considere oportuno reforzar un determinado aspecto.

También puede resultar interesante hacer estas actividades con un compañero de clase. Piensa que no solo aprendemos cosas con el profesor; en muchas ocasiones, reflexionar con un compañero sobre cuestiones gramaticales te puede ayudar mucho.

¿SE TE DAN BIEN LAS LENGUAS?

1. Lee lo que escribe Héctor en un foro. Luego, escribe un comentario dándole tu opinión.

Héctor, Alicante

¡Qué difícil es reconvertirse!

Yo estudié Psicología y trabajé durante un tiempo como psicólogo en un instituto. También hice prácticas en un despacho de psicólogos, pero no me gustó. Descubrí que me gustaba estudiar Psicología, pero no ejercer de psicólogo. No se me daba bien y, sobre todo, me costaba desconectar al salir del trabajo, me resultaba imposible no pensar en los problemas de mis pacientes. El año pasado lo dejé, me puse a trabajar en un bar y empecé a estudiar traducción, una carrera que siempre me ha atraído mucho. Se me dan bien las lenguas y disfruto traduciendo. Pero me resulta difícil combinar los estudios con el trabajo: me estreso y me pongo nervioso pensando que nunca voy a terminar la carrera. Además, me da miedo terminarla cuando sea demasiado mayor. ¿Y si no encuentro trabajo? No sé, me siento en desventaja en comparación con mis compañeros, que son más jóvenes que yo. ¿Os ha pasado alguna vez algo parecido? ¿Alguien se encuentra en mi situación?

Comentarios

....

....

....

....

2. Marca en cada caso la continuación correcta.

1. A mi hermano **le dan miedo...**
   - ☐ **a.** subirse a lugares altos.
   - ☐ **b.** las alturas.

2. **Se me da muy bien...**
   - ☐ **a.** los niños.
   - ☐ **b.** trabajar con niños.

3. A Laura **le da mucha vergüenza...**
   - ☐ **a.** salir a la calle en zapatillas.
   - ☐ **b.** sus zapatillas de estar por casa.

4. **Me resulta muy difícil...**
   - ☐ **a.** algunos sonidos del español.
   - ☐ **b.** pronunciar bien el español.

5. **Me cuesta...**
   - ☐ **a.** hacer bien los exámenes orales.
   - ☐ **b.** los exámenes orales.

6. A algunas personas **les cuesta mucho...**
   - ☐ **a.** las dietas muy estrictas.
   - ☐ **b.** adelgazar.

7. **Me pone nervioso...**
   - ☐ **a.** los problemas.
   - ☐ **b.** tener poco tiempo para estar con mi familia.

3. ¿Qué puedes decir sobre estas personas? Escribe frases en tu cuaderno utilizando estos elementos.

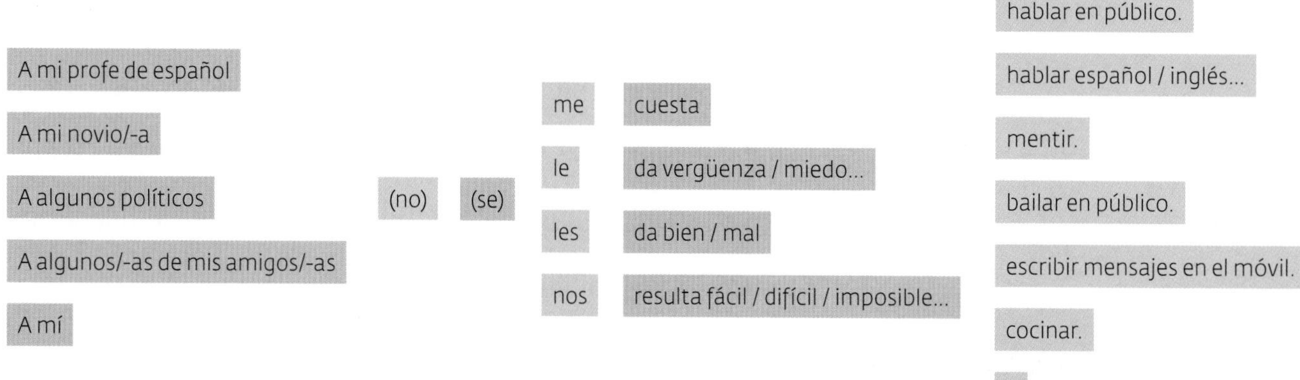

A mi profe de español
A mi novio/-a
A algunos políticos
A algunos/-as de mis amigos/-as
A mí
(no)
(se)
me
le
les
nos
cuesta
da vergüenza / miedo...
da bien / mal
resulta fácil / difícil / imposible...
hablar en público.
hablar español / inglés...
mentir.
bailar en público.
escribir mensajes en el móvil.
cocinar.
...

4. Describe una característica de cada una de las personas de la lista. Tienes que usar las estructuras del cuadro.

Le cuesta/n...
Se le da/n bien...
Es bueno/a...
Le resulta fácil / difícil...
Le resultan fáciles / difíciles...

1. el / la profe de español perfecto/-a
2. el padre perfecto
3. el / la estudiante perfecto/-a
4. la madre perfecta
5. el novio perfecto
6. el hermano perfecto
7. la novia perfecta
8. la hermana perfecta

Al profe de español perfecto se le da muy bien explicar la gramática.

5. Marca cuál es la continuación lógica de estas frases.

1. Vive en una casa fea y muy pequeña **aunque**...
   - ☐ **a.** tiene un sueldo bastante bajo.
   - ☐ **b.** es riquísimo.
2. Habla muy bien español **aunque**...
   - ☐ **a.** nunca ha vivido en un país de habla hispana.
   - ☐ **b.** ha vivido muchos años en Perú.
3. Llevan al niño a todas partes **aunque**...
   - ☐ **a.** solo tiene 8 meses.
   - ☐ **b.** viajan mucho.
4. Compraron un coche carísimo **aunque**...
   - ☐ **a.** no tienen mucho dinero.
   - ☐ **b.** les encantan los coches.
5. Toca muy bien el piano **aunque**...
   - ☐ **a.** nunca ha estudiado música.
   - ☐ **b.** lleva muchos años estudiando música.
6. Se le dan muy bien los niños **aunque**...
   - ☐ **a.** trabaja en una guardería.
   - ☐ **b.** no tiene hijos.

6. Todas estas frases se refieren a Arturo, el señor de la ilustración. Complétalas.

1. .... **Y eso que** juega al tenis dos veces por semana.
2. Tiene dos niños preciosos **aunque** ....
3. .... **Y eso que** gasta mucho dinero en ropa de marca y en productos de cuidado personal.
4. Su madre le llama "Arturito" **aunque** ....

7. Transforma las siguientes frases como en el modelo. Fíjate en que, en las dos frases, la información es la misma; la diferencia es que en la segunda hay un matiz de involuntariedad.

1. Juan Pedro ha perdido los documentos.
   A Juan Pedro se le han perdido los documentos.
2. He perdido las llaves. ....
3. Hemos olvidado tu regalo en casa. ....
4. He roto el espejo del pasillo. ....
5. ¿Habéis perdido la entrada del cine? ....
6. Pedro ha olvidado los pasaportes en casa. ....
7. He borrado un archivo muy importante de mi ordenador. ....

8. Completa las frases con los pronombres **le**, **les** o **se**.

1. A Luis ...... pone nervioso tener que hacer presentaciones en público.
2. Sara ...... pone muy nerviosa cuando tiene que hacer un examen.
3. A Fede ...... da miedo caminar solo por la calle.
4. Dice que ...... siente ridícula cuando baila.
5. Mis padres ...... ponen tristes si no les llamo por lo menos una vez a la semana.
6. A mi hermana ...... molesta mucho la gente que come en el cine.
7. A mis hijos no ...... interesan nada las matemáticas.
8. A Fátima ...... da mucha vergüenza hablar en inglés con la familia de su novio.
9. Mi padre ...... está haciendo mayor: a veces ...... olvida de las cosas.
10. Marta es muy perfeccionista y ...... siente muy frustrada cuando las cosas no le salen bien.
11. No está acostumbrada a hacer deporte y ...... queda hecha polvo cuando tiene que hacer un poco de esfuerzo físico.
12. A mis alumnos ...... cuesta hablar.

9. Termina las frases.

1. Me pone nervioso/-a ....
2. Me pongo nervioso/-a ....
3. Me pone triste ....
4. Me pongo triste ....
5. Me pone contento/-a ....
6. Me pongo contento/-a ....

10. ¿Qué cosas eres capaz de hacer bien en español y qué cosas aún no haces tan bien como te gustaría? Contesta estas preguntas.

CUANDO LEES...
¿Qué tipo de textos eres capaz de entender?

....

....

¿Cuáles te gustaría entender mejor?

....

....

CUANDO ESCUCHAS...
¿Qué tipo de textos eres capaz de entender?

....

....

¿Cuáles te gustaría entender mejor?

....

....

CUANDO PARTICIPAS EN CONVERSACIONES...
¿En qué situaciones eres capaz de desenvolverte bien?

....

....

¿En cuáles te gustaría hacerlo mejor?

....

....

CUANDO HABLAS (TÚ SOLO) DELANTE DE OTROS...
¿Qué cosas eres capaz de hacer bien?

....

....

¿Cuáles te gustaría hacer mejor?

....

....

CUANDO ESCRIBES...
¿Qué cosas eres capaz de hacer bien?

....

....

¿Cuáles te gustaría hacer mejor?

....

....

11. Elige dos de las cosas que has escrito en la actividad anterior que quieres mejorar. Escribe qué estrategias vas a seguir para conseguirlo.

Para: ....

- ....
- ....
- ....

Para: ....

- ....
- ....
- ....

12. ¿Conoces a algún famoso que haya descubierto tarde su vocación? ¿Y algún "niño prodigio"? Busca información sobre ellos y redacta un pequeño texto presentándolos.

SONIDOS Y LETRAS

54 - 57

13. Vuelve a escuchar los diálogos de la actividad 7 de la página 16 y complétalos.

1
- Mira, mi mayor desgracia es que no sé cantar.
- ○ Bueno, tampoco es una desgracia...
- Sí, sí, porque en mi familia todos cantan muy bien, ¿.................? Mi padres cantan en un coro, mi hermana es cantante en un grupo de música...
- ○ ¿...................? No lo sabía...
- Sí, y claro, yo desde pequeña he vivido mal eso de no saber cantar... Lo veía como un problema, ¿..................?
- ○ Ya. ¿Y entonces no cantas nunca?
- Sí, claro que canto, en todas partes: en la ducha, en el coche... A mí me encanta cantar, aunque reconozco que se me da fatal.

2
- Oye, Marisa, me gustaría pedirte un favor.
- ○ Dime.
- Bueno, es que me he comprado un vestido por internet, muy chulo, pero me va un poco grande... Y he pensado que igual tú me lo puedes arreglar, ¿....................?
- ○ Uf, no sé, Julia... Es que no sé si voy a saber hacerlo...
- ¿Pero tú no sabías coser?
- ○ A ver, coso, aunque no me gusta nada.
- ¿.............? Pero yo pensaba que tu madre era modista y...
- ○ Sí, por eso. Siempre he tenido que ayudarla desde pequeña y le he cogido manía a coser, ¿.................? Porque es que la verdad es que no se me da demasiado bien, soy una manazas.

3
- Marcos habla muchos idiomas, ¿..............?
- ○ ¿Marcos? ¡............! Y eso que sus padres son diplomáticos y se ha pasado la vida en el extranjero, pero se le dan fatal los idiomas.
- ¿..............? ¿Pero su padre no es holandés?
- ○ Sí, pero nunca le hablan en holandés, en casa siempre hablan todos en español. En realidad, yo creo que Marcos es el único de su familia que no tiene facilidad para los idiomas. Todos los demás hablan un montón de lenguas. No sé, igual no le gusta.
- ¡Qué curioso!

4
- En tu familia sois todos muy deportistas, ¿..............?
- ○ ...., ¡..............! A mí no me gusta nada el deporte y a mi hermana tampoco mucho. En realidad solo lo son mis padres. Les encantan los deportes de montaña.
- ¿.............? ¿Y cómo es que a vosotros no?
- ○ Pues mira, nunca lo consiguieron... y eso que lo intentaron, pero yo siempre he sido un desastre haciendo deporte y mi hermana igual.
- ¿Y no se sintieron muy frustrados por eso?
- ○ ...., ..., ..., ellos lo que quieren es que sea feliz con lo que me gusta a mí.

14. Con un compañero, representa los diálogos y grábate. Presta atención especialmente a las siguientes partículas discursivas.

Expresar sorpresa			
¿En serio?	¿Ah, sí?	¿Sí?	¿De verdad?
Negar			
¡Qué va!	No, hombre, no		
Pedir confirmación			
¿no?	¿verdad?		
Mantener la atención del interlocutor			
¿sabes?	¿entiendes?		

LÉXICO

15. Completa con las palabras siguientes. Luego mira el texto de la página 13 para comprobar tus respuestas.

mal | miedo | vergüenza | mayor | envidia

Siempre he querido saber bailar bien, pero se me da muy .... De joven, me daban .... mis amigas, que podían salir a bailar con chicos. Yo siempre me quedaba sentada y nunca salía a la pista a bailar. Tendría que haber intentado aprender entonces, pero no lo hice. Ahora me he hecho .... y, aunque me gustaría, me da .... ir a clases de baile... Me da .... sentirme rodeada de gente joven que tiene facilidad para bailar. ¿Creéis que podría hacerlo sola con un profesor particular? ¿O es demasiado tarde?

16. Escribe en tu cuaderno...

- Algo que te da envidia
- Algo que te da asco
- Algo que te da pena
- Algo que te da vergüenza
- Algo que te da miedo

Me da vergüenza contar chistes.

Me dan miedo las serpientes.

17. Lee estas frases y fíjate en los siguientes verbos. ¿Cómo traducirías a tu idioma lo marcado en negrita? ¿Qué diferencias observas entre tu lengua y el español?

QUEDARSE

- Mi padre **se quedó calvo** a los 35 años, en cambio mi abuelo aún tiene mucho pelo.
- Marta **se ha quedado embarazada** otra vez. ¡Va a ser el quinto hijo!
- Mi abuelo **se ha quedado sordo**. Ya no oye casi nada...
- El bebé ya no llora nada, **se ha quedado dormido**.
- Pablo, **quédate quieto** un minuto, por favor, que no puedo cortarte bien el pelo.

PONERSE

- Comió marisco en mal estado y **se puso enfermo**.
- Ayer vi a Álex; ha vuelto de vacaciones. **Se ha puesto muy moreno** en el Caribe...
- Ahora Mario va cada día al gimnasio y **se está poniendo muy fuerte**...
- Cómo se nota que a Raúl le gusta María. Cuando la ha visto **se ha puesto rojo** como un tomate.
- Luis aún no ha superado su divorcio. **Se pone histérico** cada vez que le hablas de su ex mujer.

HACERSE

- Ana pasó una temporada en el Tíbet y **se hizo budista**.
- Roberto **se ha hecho famoso** con su nueva película.
- Creo que **me voy a hacer vegetariana**.
- David antes era modelo y ahora **se ha hecho actor**.
- Empezó a comprar y a vender pisos y, en poco tiempo, **se hizo rico**.

18. Describe el comportamiento de tres de estos tipos de personas. ¿Cómo se comporta una persona...

egoísta | manitas | torpe | organizada | comprensiva | sosa | desordenada | tímida | abierta | manazas

Manitas: Es una persona muy buena arreglando cosas: poniendo bombillas, arreglando averías...
Se le da muy bien hacer cosas con las manos...

19. Mi vocabulario. Anota las palabras de la unidad que quieres recordar.

¡BASTA YA!

1. Escribe las formas que faltan del presente de subjuntivo.

	ESCUCHAR	PROCEDER	VIVIR
(yo)	....	proceda	....
(tú)	....	....	....
(él/ella/usted)	escuche	....	....
(nosotros/nosotras)	....	....	vivamos
(vosotros/vosotras)	....	....	....
(ellos/ellas/ustedes)	....	....	....

2. Clasifica en regulares e irregulares estas formas verbales conjugadas en presente de subjuntivo. Piensa primero en su infinitivo correspondiente.

viva vayan sepan habléis empiecen
traduzcas veamos digan bebáis
salgamos escriban oigas duermas

REGULARES	IRREGULARES
vivir → viva	

3. Conjuga los siguientes verbos en presente de subjuntivo.

	(yo)	(tú)	(él/ella/ustedes)	(nosotros/as)	(vosotros/as)	(ellos/as ustedes)
HACER	haga	....	haga	....	hagáis	....
SER	sea	seas	....	seamos	....	sean
QUERER	quiera	....	....	....	queráis	....
JUGAR	juegue	juegues	....	juguemos	....	....
PODER	pueda	....	....	....	....	....
ESTAR	esté	....	....	....	estéis	....
PEDIR	pida	....	pida	....	....	....
SABER	sepa	....	....	....	....	sepan
IR	vaya	vayas	....	....	....	....
CONOCER	conozca	....	....	conozcamos	....	....
TENER	tenga	....	....	....	....	tengan
PONER	ponga	....	....	....	....	....

4. ¿A qué persona corresponden estas formas verbales? Escribe el pronombre personal de sujeto al lado de cada forma.

- aciertes: tú
- traduzcas: ....
- nieguen: ....
- conduzcamos: ....
- te vistas: ....
- vuelvas: ....
- cuentes: ....
- valgan: ....
- produzcáis: ....
- tengáis: ....
- sirva: ....
- sienta: ....
- salgamos: ....
- duelan: ....

5. Clasifica los verbos de la actividad anterior según su irregularidad.

COMO CERRAR	acertar,
COMO PODER	
COMO PEDIR	
COMO PONER	
COMO CONOCER	

6. Completa estas frases de manera lógica. Recuerda que puedes usar un sustantivo, un infinitivo o una frase con **que** + presente de subjuntivo.

1. Los ecologistas quieren ....
2. Las feministas exigen ....
3. Los estudiantes reclaman ....
4. Los jubilados necesitan ....
5. Los pacifistas piden ....
6. Los parados quieren ....

7. En español usamos mucho la estructura **que** + **subjuntivo**. ¿Qué te dicen en estas situaciones? Completa con la forma en subjuntivo que corresponda.

mejorarse | tener (2) | cumplir | ir | pasar | divertirse | aprovechar | ser

1. **Si sales con unos amigos**:
   ¡Que lo .... bien!
2. **Cuando estás comiendo**:
   ¡Que ....!
3. **El día de tu cumpleaños**:
   ¡Que .... muchos más!
4. **Si vas a hacer un examen**:
   ¡Que te .... muy bien!
5. **Si te vas de viaje**:
   ¡Que .... buen viaje!
6. **Si vas a hacer algo divertido**:
   ¡Que ....!
7. **El día de tu boda**:
   ¡Que .... muy felices!
8. **Si participas en un sorteo**:
   ¡Que .... suerte!
9. **Si estás enfermo**:
   ¡Que ....!

8. Escribe un deseo que tengas para cada una de estas personas.

1. tu pareja | **2.** tu hermano/-a | **3.** tus compañeros/-as de trabajo | **4.** tu mejor amigo/-a | **5.** tus padres

1. Quiero que ....
2. Espero que ....
3. Quiero que ....
4. Espero que ....
5. Quiero que ....

MÁS EJERCICIOS

9. ¿Cómo crees que se podrían solucionar los siguientes problemas? Escribe tus propuestas. Puedes usar las estructuras **debería/n**, **se debería/n**, **deberíamos**, **habría que** u otras.

1. La inseguridad ciudadana: ....

2. El desempleo: ....

3. La contaminación: ....

4. Las guerras: ....

5. El hambre: ....

6. El terrorismo: ....

10. Lee el siguiente texto y escribe cuáles son los temas que más preocupan a Raúl.

Raúl Oliva Pozo
22 años
estudiante de Psicología

"Yo termino la carrera este año y no sé qué voy a hacer después. Vivo con mis padres, aunque me gustaría vivir solo. Pero es que encontrar trabajo es cada vez más difícil, especialmente si no tienes experiencia. Comprar un piso es imposible y los pisos de alquiler que hay son carísimos. El Gobierno debería construir más viviendas para jóvenes."

11. ¿Y a ti? Escribe un texto similar sobre un tema que te preocupe.

12. ¿Hay algo de lo que te quieras quejar o algo que quieras reivindicar? Ahora tienes la oportunidad de hacerlo. Escribe una carta al periódico con una reclamación o con una reivindicación.

13. ¿Conoces el cuento de la lechera? Lee el cuento y completa las formas que faltan en presente de subjuntivo.

Una lechera llevaba en la cabeza un cubo de leche recién ordeñada y caminaba hacia su casa soñando despierta. "Como esta leche es muy buena", se decía, "dará mucha nata. Batiré la nata hasta que se convierta en una mantequilla sabrosa. Cuando (**tener**) .... la mantequilla, la venderé en el mercado. Cuando me (**pagar**) ...., me compraré un canasto de huevos y, en cuatro días, tendré la granja llena de pollitos. Cuando (**empezar**) .... a crecer, los venderé a buen precio, y con el dinero que saque me compraré un vestido nuevo. Cuando lo (**ver**) ...., el hijo del molinero querrá bailar conmigo al verme tan guapa. Pero no voy a decirle que sí de buenas a primeras. Esperaré a que me lo pida varias veces y, al principio, le diré que no con la cabeza. Eso es, le diré que no, ¡así!".

La lechera comenzó a menear la cabeza para decir que no, y entonces el cubo cayó al suelo y toda la leche se derramó. Así que la lechera se quedó sin nada: sin vestido, sin pollitos, sin huevos, sin mantequilla, sin nata y, sobre todo, sin la leche que la incitó a soñar.

14. Ahora imagina tu propio cuento de la lechera. Escríbelo en tu cuaderno.

Cuando sepa hablar español muy bien, encontraré un trabajo en un hotel de 5 estrellas. Cuando esté trabajando en el hotel, ganaré mucho dinero. Cuando tenga dinero, me compraré...

15. Lee estos ejemplos. ¿Entiendes la diferencia de signficado? Luego, completa las frases con indicativo o subjuntivo.

- Cuando el gobierno baja los impuestos, la gente consume más.
  *(**cuando** + indicativo: acción habitual)*
- Cuando el gobierno baje los impuestos, la gente consumirá más.
  *(**cuando** + subjuntivo: hablamos del futuro)*

a. Estoy muy cansado. Cuando (llegar) .... a casa, me iré a la cama directamente.

b. Cuando (llegar) .... a casa, siempre me tomo una taza de café.

a. Cuando (estar) .... triste, eres tú la única persona que me entiende.

b. Cuando (estar) .... triste, pensaré en los buenos momentos que vivimos juntos.

a. Te llamo cuando (salir) .... del trabajo y vamos al cine, ¿de acuerdo?

b. Siempre te llamo cuando (salir) .... del trabajo y nunca te encuentro.

4

a. Cuando (tener) .... dinero, me compraré un coche nuevo.

b. Cuando (tener) .... dinero, me lo gasto enseguida.

SONIDOS Y LETRAS

58 - 59 **16.** Escucha los poemas de las páginas 32 y 33. Después, léelos tú e intenta imitar la manera de recitarlos de la audición.

17. Busca en internet poemas de tema social o político de Juan Gelman o Mario Benedetti. Elige uno que te guste, léelo en voz alta y grábate para luego escuchar cómo lo has hecho.

MÁS EJERCICIOS

LÉXICO

60 - 62

18. Aquí tienes la transcripción del programa de radio de la actividad 3 (página 25). Como verás, faltan algunas palabras. Complétala dándole sentido. Luego, escucha la audición para comprobar si has coincidido con el original.

1

- Hoy ha sido un día especialmente movido en nuestra ciudad. Se han producido tres (1) ...., convocadas por tres colectivos diferentes. Nuestro reportero Víctor Santos ha ido a las tres para conocer de cerca las (2) ...., los porqués de estas tres manifestaciones.
- ○ Efectivamente. La primera manifestación la (3) .... el Colectivo de Ocupas de la ciudad. Hemos preguntado a algunas personas que estaban allí cuál era el motivo de su (4) ....
- ¡Solo queremos tener un lugar para vivir! La ciudad está llena de casas (5) .... La gente las compra para especular y (6) .... los precios. ¿Por qué tenemos que vivir en la calle si hay casas que no usa nadie?
- ○ No somos criminales; no hacemos ningún daño a nadie. Además, cuando (7) .... una casa normalmente la cuidamos y muchas veces la convertimos en un centro social, cultural... ¡La gente tiene que saber eso!

2

- La segunda manifestación que ha recorrido las calles de nuestra ciudad estaba convocada por la (1) .... de inmigrantes Acogida. Estas son algunas de las opiniones de los (2) ....
- ○ Estamos aquí para (3) .... la legalización de los (4) .... sin papeles. Pedimos al Gobierno que (5) .... a todos los que tengan una oferta de trabajo. ¡Pensamos que todos tenemos (6) .... a una vida mejor, a un trabajo digno y a una (7) .... digna!
- En España mucha gente se ha olvidado de que, no hace mucho, los españoles también (8) .... para buscar (9) .... y tener una vida mejor. Ahora, España no puede cerrarle la puerta a toda esta gente.

3

- El grupo ecologista Vida Verde ha convocado hoy también una (1) .... en el centro de la ciudad. Oigamos por qué se manifestaba este grupo y cuáles eran sus (2) ....
- ○ Lo que quiere nuestro grupo es (3) .... a la sociedad sobre el problema de la desertización del suelo. Exigimos al Gobierno que limite las talas de árboles y que controle las malas prácticas agrícolas. ¡Entre todos tenemos que (4) .... la desertización!
- Es increíble que cada vez haya menos tierra fértil. La desertización amenaza a 850 millones de personas. Dentro de poco será muy difícil alimentarnos. Ahora es el momento de (5) ....

19. Lee el poema "La poesía es una arma cargada de futuro" de Gabriel Celaya (página 32). ¿Con qué compara a la poesía? ¿Y al poeta?

Poesía: arma, ...

Poeta: ....

20. Relaciona estas expresiones que aparecen en el poema de Gabriel Celaya con su significado.

1. Lavarse las manos
2. Tomar partido
3. Tocar fondo

a. llegar a una situación muy complicada
b. no intervenir en un asunto
c. defender una causa, una posición, etc.

21. Completa la carta abierta.

amenaza con | luchar | trasladarse | exigir | invertirá | hacemos un llamamiento | sufrirán un daño | abajo firmantes | actuar | cursar | disminuir | abandonarán

Apreciado señor alcalde:

Los (1) .... , representantes de asociaciones de vecinos y comerciantes y grupos culturales de Monreal, nos dirigimos a usted para hablarle de una cuestión de gran importancia para el futuro de nuestro pueblo: el instituto de enseñanza media Camilo José Cela.

Como usted sabe, el instituto tiene más de 50 años de historia y por él han pasado muchas generaciones de jóvenes de Monreal, pero sobre todo, es el único centro de la comarca en el que se puede (2) .... bachillerato. Desde hace ya algunos años, la Consejería de Educación (3) .... cerrar el instituto por razones económicas. Si finalmente se toma esa decisión, nuestro pueblo y toda la comarca (4) .... enorme. Nuestros jóvenes tendrán que (5) .... en autobús a la capital en un viaje de 90 minutos de ida y 90 minutos vuelta todos los días; tendrán que comer allí, con el gasto que eso comporta y, con seguridad, muchos de ellos (6) .... los estudios.

Si finalmente se produce, el cierre será dramático para el pueblo: ¿quién se querrá quedar a vivir en Monreal si se cierra el instituto? ¿Qué hará el ayuntamiento cuando la población empiece a (7) .... y se queden en el pueblo únicamente los viejos, como ha pasado en tantos otros lugares? Ustedes hablan de atraer inversiones a Monreal, pero ¿qué empresa (8) .... en nuestro pueblo cuando no tengamos jóvenes formados?

Por todo ello, antes de que se tome esa decisión, el ayuntamiento debería (9) .... Le pedimos a usted y a todo el ayuntamiento que luche por la continuidad del centro. Tenemos que (10) .... a la Consejería que mantenga el instituto Camilo José Cela porque es esencial para el futuro de nuestro pueblo y de nuestra comarca. Pero sería injusto decir que este problema es únicamente responsabilidad del ayuntamiento. Este es un tema que nos afecta a todos y todos deberíamos (11) .... juntos. Por eso, (12) .... a todos los ciudadanos de Monreal y les pedimos que se unan a nosotros para salvar el instituto.

Quedamos a la espera de una pronta respuesta y nos ponemos a su disposición para elaborar un calendario de actuaciones.

22. Escribe el nombre de otros movimientos políticos y sociales. Si quieres, puedes inventarte alguno.

movimiento ecolog**ista**, movimiento femin**ista**, ...

....

....

....

movimiento **anti**globalización, movimiento **anti**nuclear,

....

....

....

23. Mi vocabulario. Anota las palabras de la unidad que quieres recordar.

EL TURISTA ACCIDENTAL

1. Busca información en internet y escribe los textos para una web sobre dos destinos turísticos de moda en tu país. Puedes pegar fotos.

2. Imagina que acabas de volver de vacaciones. Escribe un breve correo electrónico a uno de tus compañeros de clase contándole algún incidente o algún problema que hayas tenido durante el viaje.

3. Lee estas frases y anota, en cada caso, si quien las dice está empezando a contar una anécdota (E), la está terminando (T) o está reaccionando (R).

1. A mí, una vez, me pasó una cosa muy curiosa. ....
2. Total, que fuimos a un cajero, sacamos dinero y... ....
3. ¡No me digas! ....
4. Yo, una vez, estaba en Londres y... ....
5. Por eso, a partir de ahora, voy a viajar solo. ....
6. ¿Sabes qué me pasó el otro día? ....
7. ¡Me parece increíble! ....
8. No te lo vas a creer, pero... ¿sabes qué les pasó a Pedro y a María? ....
9. ¡Qué me dices! ....
10. ¿En serio? ....
11. ¡Qué horror! ....

4. Aquí tienes una anécdota desordenada. Ordénala según este esquema.

1. Empieza a contar la anécdota.
2. Cuenta más detalles de la anécdota.
3. Cuenta el final.
4. Valoran la anécdota.

◯
- ○ Acabaste comprándole el libro, ¿no?
- • Pues sí.
- ○ ¿Y cuánto te costó?
- • Bueno, pues, en total, me cobró doce euros del libro y cinco del taxi....

◯
- ○ ¿Doce euros? ¡Qué caro!, ¿no?
- • Sí, pero por lo menos fue una experiencia curiosa, ¿no?
- ○ Pues sí, bastante surrealista lo del taxista poeta...

◯
- • ¿Sabes lo que me pasó ayer en un taxi?
- ○ No. ¿Qué?
- • ¡Que acabé comprando un libro de poesía!

◯
- ○ ¿Al taxista? ¿Por qué?
- • Nada, que cuando me estaba bajando del taxi, me preguntó: ¿Te gusta la poesía? Y me enseñó un libro que había escrito él, del que estaba superorgulloso.
- ○ ¡Ostras! ¡Un taxista poeta!
- • Sí, sí. Bueno, le eché un vistazo rápido para no ofenderle y... La verdad es que eran bastante malos los poemas, pero me dio un poco de pena y...

5. Completa esta conversación con las siguientes frases y expresiones.

Pues sí que era fácil, sí. | ¡No, no, qué va! | No, ¿qué? | ¿En serio? ¿Y cómo? | ¿Sí? ¿Y qué te han preguntado?

- • ¿Sabes qué me ha pasado hoy?
- ○ ....
- • No te lo vas a creer. ¡He ganado 3000 euros!
- ○ ....
- • Pues, resulta que iba por la calle y, de repente, me para un reportero de un programa de la tele.
- ○ ¿De la tele? ¿Seguro que no era una broma?
- • .... Justo después, me ha llamado un compañero de trabajo que me ha visto...
- ○ ¿Ah, sí? ¿Y cómo has conseguido el dinero?
- • ¡Superfácil! El reportero me para y me explica que es un concurso y que, si acierto la respuesta a una pregunta, me llevo 3000 euros.
- ○ ....
- • Nada, una tontería: la capital de Perú.
- ○ ¿De Perú? ....
- • Sí, sí, facilísimo.
- ○ Hay que ver la suerte que tienes...

6. Completa las frases con el conector que te parezca más adecuado.

como | porque | total, que | resulta que

1. Salimos tardísimo y nos encontramos con un atasco horroroso, y encima tuvimos un pinchazo. .... llegamos a Córdoba a las cuatro de la madrugada.
2. No te llamé .... me quedé sin batería en el móvil.
3. .... no tenía dinero, no pude invitarlos a tomar nada.
4. Me dieron una indemnización de 200 € .... me habían perdido la maleta.
5. • ¿Qué tal Carlos y Azucena?
   ○ Pues .... al final no se han casado.
6. .... sabía que le gustaba García Márquez, le regalé su último libro.
7. Yo quería ir a Nueva York y ella, a Cartagena de Indias. Estuvimos discutiendo días y días, ... nos quedamos en casa y no fuimos a ningún lado.
8. ¿Qué cómo lo conocí? ¡No te lo vas a creer! .... llevábamos trabajando en la misma empresa un montón de años, pero nadie nos había presentado. Y entonces, un día...

7. Continúa estas frases de una manera lógica.

1. No aprobé el examen **porque** ....
2. **Como** me quedé solo en casa aquel verano, ...
3. Perdimos el tren de las 23:00 h, **así que** ....
4. No llegamos a un acuerdo sobre el precio, **de modo que** ....
5. Al final nos cambiaron de hotel **porque** ....
6. **Como** me levanté muy tarde, ...
7. Cancelaron la excursión al lago, **así que** ....
8. No me encontraba muy bien, **de modo que** ....

8. Lee estas frases y marca si la acción expresada por los verbos en negrita es anterior o posterior a la acción expresada por el verbo subrayado.

	ANTES	DESPUÉS
1. Cuando <u>llegamos</u> a la estación, el tren ya **había salido**.		
2. Cuando <u>llegó</u> Pedro, **empezamos** a cenar.		
3. No los <u>encontré</u> en casa porque **se habían ido** de vacaciones.		
4. <u>Estudió</u> mucho y, por eso, **aprobó** el examen.		
5. <u>Reclamé</u> a la agencia, pero no **aceptaron** ninguna responsabilidad.		
6. La guía que nos <u>acompañó</u> no **había estado** nunca en Madrid.		
7. Nos <u>llevaron</u> a un hotel muy malo, pero **habíamos reservado** uno de tres estrellas.		
8. Cuando <u>llegamos</u> al aeropuerto, ya **habían empezado** a embarcar.		

9. Piensa en cosas que ya habías hecho en tu vida en cada uno de los siguientes momentos y continúa las frases siguientes.

1. A los 15 años ya ....
2. Antes de estudiar español ....
3. Antes de empezar este curso ....
4. Cuando conocí a mi mejor amigo/-a ....

10. Subraya la opción correcta en cada una de las siguientes frases.

1. • ¿Has visto a Carla últimamente?
   ○ Sí, la **veía** / **vi** ayer.
2. Ayer fuimos al cine; **vimos** / **veíamos** una peli malísima.
3. • Hablas muy bien alemán.
   ○ Bueno, es que de joven **pasé** / **pasaba** dos años en Berlín.
4. • Llegas tardísimo, Marta.
   ○ Es que **he perdido** / **perdía** el bus.
5. El jueves pasado no **iba** / **fui** a clase. Tuve que quedarme en casa.
6. Antes no **me gustaba** / **me gustó** el pescado. Ahora me encanta.
7. Leí ese libro hace tres años y **me encantaba** / **me encantó**.
8. Pasé tres meses en Suecia, pero no **aprendí** / **aprendía** casi nada de sueco.
9. Mi hermano nunca **ha estado** / **estaba** en Italia, pero habla muy bien italiano.
10. Se tomó una aspirina porque **le dolía** / **le dolió** la cabeza.
11. Me encontré con Pablo y no lo reconocí: **estuvo** / **estaba** muy cambiado.

11. Busca en la red el microcuento *El dinosaurio* de Augusto Monterroso. Imagina que es la última frase de un cuento más extenso. Escribe ese cuento.

12. ¿Conoces algún personaje famoso por sus viajes? Busca información y escribe en tu cuaderno un pequeño texto sobre su vida. Acompáñalo de fotografías.

SONIDOS Y LETRAS

63

13. Lee estos diálogos y escribe los signos de puntuación (¿ ?, ¡ !, Ø) que llevan las expresiones en negrita. Luego escucha y comprueba. ¿Entiendes para que sirven estas expresiones en cada caso?

- Ayer me encontré en la calle un billete de cien euros.
- ¡Qué suerte!, ... **no** ...

- Ayer me encontré en la calle un billete de cien euros.
- ... **No** ... ¿Y lo cogiste?

- ¿Sabes a quién vi ayer? ¡A Teo!
- ... **Ah, sí** ... ¿Dónde?

- ¿Sabes a quién vi ayer? ¡A Teo!
- Teo... ... **Ah, sí** ... ¡El del instituto!

- Esta mañana me he encontrado a Juan en el metro. Está tan cambiado que casi no lo he reconocido.
- ... **Ya** ... , es increíble, yo lo vi hace poco y pensé lo mismo.

- Esta mañana me he encontrado a Juan en el metro.
- ... **Ya** ... ¡Pero si acaba de llegar a Madrid!

64 - 65

14. Escucha estas dos conversaciones y reacciona con las siguientes expresiones. Presta atención a la entonación.

1. ¿Ah, sí? ¡Qué rabia!, ¿no?
2. ¡Qué rollo!
3. ¡A Cuba!
4. ¿Y qué hiciste?
5. ¿Tres días? ¡Qué fuerte!
6. Ya, claro. Eso o ir desnuda.
7. ... ibas todo el día disfrazada, ¿no? ¡Menos mal!

2

1. ¿Qué?
2. ¿Ah, sí? ¿Y por qué? ¿Qué pasó?
3. ¡No!
4. Ya.
5. ¿Y qué hiciste?
6. ¡Qué mala suerte!
7. ¡Menos mal!

LÉXICO

15. Escribe un lugar para cada uno de estos tipos de turismo. ¿Qué actividades se pueden hacer? Puede ser un lugar de tu país o de otro país que te interese.

turismo rural	
turismo de aventura	
turismo de sol y playa	
turismo cultural	
turismo gastronómico	
turismo musical	
turismo urbano	
turismo deportivo	

16. En un viaje, escribe qué cosas se pueden...

1. organizar	
2. recorrer	
3. perder	
4. facturar	
5. cancelar	
6. reservar	
7. descubrir	

17. Relaciona los elementos de las dos columnas.

1. ir de	**a.** un hotel
2. decidir sobre	**b.** noche
3. planificar con	**c.** vacaciones
4. perderse por	**d.** las calles
5. alojarse en	**e.** la marcha
6. salir de	**f.** antelación

18. Completa estos textos (de las páginas 34 y 35) con las palabras que faltan.

Cartagena de Indias

predilecto | los turistas | cuenta con | amantes

Esta ciudad declarada Patrimonio de la Humanidad por la UNESCO es el destino .... de los .... de la arquitectura colonial. En la región hay playas increíbles y la ciudad .... multitud de servicios para .... que buscan placer y descanso.

Bogotá

increíble | oferta | del arte

La capital de Colombia es un destino .... para los amantes ...., por sus museos y festivales (como el famoso Festival Iberoamericano de Teatro). Bogotá es también una ciudad con una amplia .... de restaurantes de comida típica, bares y discotecas.

El Amazonas

interesados | los que | ideal

Destino .... para los turistas que quieren estar en contacto con la naturaleza, para los .... en la fauna y la flora y para .... desean conocer la cultura de las comunidades indígenas.

19. Ahora completa estas frases sobre cuatro lugares de tu país.

[ ] : Es un destino .... para los .... de ....

[ ] : Es un destino .... para los .... en ....

[ ] : Es un lugar .... para los que ....

[ ] : Es una ciudad .... para .... Cuenta con ....

20. Relaciona con los dibujos correspondientes.

a. hacer escala en un lugar
b. embarcar
c. facturar
d. compañía aérea
e. buscador de vuelos
f. perder el equipaje
g. hacer una reclamación
h. recibir una indemnización
i. agencia de viajes

21. ¿Cómo dices las palabras y expresiones de la actividad anterior en tu lengua? Escríbelo.

a. ....

b. ....

c. ....

d. ....

e. ....

f. ....

g. ....

h. ....

i. ....

22. En todas estas frases aparece el verbo **salir**. Traduce a tu lengua las partes en negrita.

1. **El vuelo sale** a las 8:00 h.

....

2. **Las maletas saldrán** pronto.

....

3. Fue un viaje perfecto. **Todo salió bien**.

....

4. **Cuando salimos del teatro** fuimos a cenar a un restaurante japonés.

....

23. Mi vocabulario. Anota las palabras de la unidad que quieres recordar.

TENEMOS QUE HABLAR

1. Completa de forma lógica los diálogos de las siguientes viñetas.

¿Sigues yendo a pescar todos los fines de semana?

Sí, y ahora estoy descubriendo el mundo de los anzuelos. Es un tema fascinante.

¿Fascinante? Pues ....

2. Según el artículo de la página 49, ¿qué tipo de manía tienen estas personas?

1. manías de orden y posición
2. manías de comprobación
3. manías higiénicas
4. manías de contar
5. manías relacionadas con la superstición

- ◯ Ana siempre tiene que besar la puerta al salir de casa. Si no lo hace, le da miedo que pase algo malo.
- ◯ A Pepe le provoca ansiedad ver que los bolígrafos están mal colocados y siempre los pone en la mesa de forma simétrica.
- ◯ Lola no soporta que los desconocidos la toquen ni dar la mano al saludar.
- ◯ Celia llama cada día a sus hijos para preguntarles si han cerrado las ventanas al salir de casa.
- ◯ A Carina le da asco beber del mismo vaso que otras personas.
- ◯ Ignacio cuenta el número de palabras de los mails que escribe y siempre tiene que ser un número par.
- ◯ Chema siempre comprueba si los platos están bien colocados en el lavavajillas y los cambia de sitio si su mujer no lo ha hecho bien.

3. ¿Qué manías tienes tú? ¿Y otra persona que conoces bien? Escríbelo.

Mis manías	Las manías de ....

4. ¿A qué personas corresponden estas series de verbos? Escríbelo. En cada serie hay una forma que no pertenece al presente de subjuntivo. Márcalo.

1. vayamos / estemos / comamos / tenemos ....
2. tenga / compre / está / vuelva ....
3. llevåis / perdáis / estéis / volváis ....
4. escribas / hagas / pierdes / tengas ....
5. vendan / compran / sientan / estén ....
6. duerma / pierde / cierre / venga ....

5. ¿Cuál de estas formas verbales no corresponde a la misma persona que las demás? Márcala.

usèis | vayáis | pongáis | durmáis

escribáis | paséis | lleves | estéis

6. Escribe en tu cuaderno qué sentimientos te provocan las siguientes cosas o situaciones.

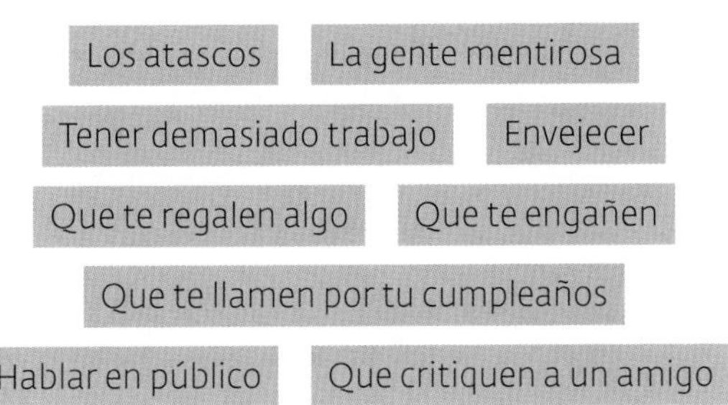

Los atascos
La gente mentirosa
Tener demasiado trabajo
Envejecer
Que te regalen algo
Que te engañen
Que te llamen por tu cumpleaños
Hablar en público
Que critiquen a un amigo

7. Completa con los verbos adecuados este fragmento del diario de un joven.

Mis padres son unos pesados. Estoy harto de que siempre (ellos) me .... todo lo que tengo que hacer. ¡Nada de lo que hago les parece bien! Por ejemplo, a mi padre no le gusta que (yo) .... el pelo largo, ni que (yo) .... gorra dentro de casa. Y a mi madre le da miedo que (yo) .... al colegio en el skate. Prefiere que (yo) .... en autobús, claro.

Esta tarde he estado estudiando en casa de Vanesa. Vanesa es genial, me encanta ir a su casa porque allí podemos pasar la tarde oyendo música tranquilamente, estudiando un poco o charlando. A su padres no les molesta que (yo) .... la tarde en su casa, y creo que les gusta que Vanesa y yo .... amigos. ¡Son mucho más modernos que mis padres! Además, son muy interesantes. El padre de Vanesa trabaja en la tele; me encanta hablar con él, porque siempre me cuenta cotilleos de personas famosas que conoce. Su madre es fotógrafa y, de vez en cuando, nos hace fotos a Vanesa y a mí. A mí me da un poco de vergüenza que nos .... fotos, pero, por otro lado, está muy bien, porque las fotos que hace son superguays...

MÁS EJERCICIOS

8. Relaciona cada principio de frase con su correspondiente final.

1

1. A mi prima Marta
2. La gente hipócrita
3. A los padres de mi novio

a. no los soporto.
b. no me gusta.
c. no la aguanto.

2

1. A las dos nos fascinan
2. A las dos nos encanta
3. Las dos estamos hartas

a. los mismos grupos de música.
b. de tener que llegar a casa a las 10.
c. comprar ropa.

3

1. A Pati le da rabia que
2. A Pati le gustan
3. Pati no aguanta

a. los chicos altos y fuertes.
b. su novio sea amigo de su ex novia.
c. a la ex novia de su novio.

9. Completa estos diálogos con las siguientes expresiones.

pero si | yo no diría eso | lo que pasa es que | pero qué dices | pues | callada

1. • Javi, ¡ayer por la noche te dejaste la ropa en la lavadora y ahora está húmeda y huele mal!
   ○ ¡.....................! ¡Si la lavadora no la puse yo!
2. • Estás muy callada hoy, ¿no?
   ○ ¿.....................? ¡Pero si no paro de hablar!
3. • Nunca vamos al cine, ni al teatro...
   ○ ¡......................... me dijiste que no querías salir tanto!
4. • El novio de Ruth es un poco antipático, ¿no?
   ○ Mujer, ... es un poco tímido.
5. • Estoy harta de que me critiques continuamente
   ○ ¿Ah, sí? .... yo estoy harto de muchas cosas, también.

10. Pili, Mili y Loli son trillizas pero, en lo que se refiere a las relaciones con sus novios, son muy diferentes. Completa las frases e intenta formular una más para cada una.

Pili es tradicional y muy romántica.

- Le gusta que su novio ....
- Le encantan ....
- Le hace mucha ilusión ....
- ....

Mili es muy abierta y moderna.

- No le importa que su novio ....
- No le gustan demasiado ....
- Le hace gracia ....
- ....

Loli es intolerante y egoísta.

- No soporta que su novio ....
- Le horroriza ....
- No le hace ninguna gracia ....
- ....

11. Vuelve a escuchar la conversación que tienen Ana y Carlos con un amigo y completa las frases.

66 - 67

1

a. Lo que más le gusta a Carlos de Ana como persona es que es muy .... y ....

b. A Carlos no le gustan nada las mujeres que quieren que ....

c. Carlos cree que lo mejor de su vida en común es que ....

d. Carlos dice que a Ana no le importa que él ....

e. Lo que no le gusta tanto a Carlos de su vida en común es que ....

2

a. Lo que a Ana le gusta más de Carlos es que es una persona ....

b. A Ana le encanta que Carlos ....

c. A Ana le da pena que Carlos ....

d. Lo que no le gusta a Ana de su vida en común es que ....

12. Escribe una lista con los factores que consideras más importantes para que una relación de pareja funcione.

1. ....
2. ....
3. ....
4. ....
5. ....
6. ....
7. ....
8. ....

13. Seguro que en tu vida hay muchas cosas positivas. Escríbelas en tu cuaderno.

RELACIONADO CON LA CASA
Una cosa positiva:
- de la(s) persona(s) con la(s) que vivo
- de la casa en sí

....

....

RELACIONADO CON MI CALLE, CON MI BARRIO O CON MI CUIDAD
Un aspecto positivo:
- del lugar en el que vivo
- de mis vecinos

....

....

RELACIONADO CON EL TRABAJO O CON LA ESCUELA
Una cosa positiva:
- de la(s) persona(s) con la(s) que trabajo o estudio
- del mismo trabajo o de los estudios

....

....

RELACIONADO CON LA POLÍTICA O CON LA SOCIEDAD
Una cosa positiva de mi país

....

14. Samuel y Sara están casados. Completa las frases de manera lógica con algunos de los problemas que tienen.

1. La madre de Samuel aparece muchas veces en su casa sin avisar aunque ....
2. Samuel no sabe cocinar y no le hace nunca la cena a Sara; por eso ....
3. Sara solo tiene dos semanas de vacaciones al año, así que ....
4. Samuel está en el paro desde hace ocho meses; por eso ....

15. ¿A cuál de los siguientes ámbitos pertenece cada uno de los problemas anteriores? Anótalo.

el trabajo	☐	las tareas de casa	☐
la familia	☐	el tiempo libre	☐

SONIDOS Y LETRAS

68

16. Escucha estas seis conversaciones y marca la opción correcta.

	EXPRESA RECHAZO	NO HA OÍDO O ENTENDIDO BIEN
1. ¿Qué?		
2. ¿Qué?		
3. ¿Cómo?		
4. ¿Cómo?		
5. ¿Qué dices?		
6. ¿Qué dices?		

69

17. Ahora escucha las conversaciones completas y comprueba.

LÉXICO

18. Marca en cada caso si los siguientes verbos expresan un sentimiento positivo o negativo.

	+	–
1. horrorizar		
2. fascinar		
3. apasionar		
4. irritar		
5. entusiasmar		
6. molestar		
7. dar vergüenza		
8. encantar		
9. poner de mal humor		
10. hacer ilusión		
11. dar rabia		
12. dar miedo		

19. Escribe qué situaciones te provocan los sentimientos de la actividad anterior.

– Me horroriza que... ....

20. ¿Conoces a personas con estas características? Piensa en cinco personas y escribe cómo son y por qué son así.

detallista · maniático/-a · celoso/-a · moderno/-a · tradicional · romántico/-a · tolerante · intolerante · posesivo/-a · independiente · dependiente · fuerte · abierto/-a · ordenado/-a · metódico/-a · desordenado/-a · divertido/-a

Un amigo mío, Connor, es muy posesivo, porque no soporta que su novia salga con amigos chicos.

1. ....

....

2. ....

....

3. ....

....

4. ....

....

5. ....

....

21. ¿Cómo traducirías a tu lengua los adjetivos que has usado en la actividad anterior? Escríbelo.

22. De las siguientes tareas de la casa, ¿cuáles haces tú? Márcalo. Luego, da más detalles en tu cuaderno sobre lo que haces y lo que no.

- hacer la compra ☐
- poner la lavadora ☐
- barrer ☐
- bajar la basura ☐
- regar las plantas ☐
- limpiar los cristales ☐
- preparar la comida ☐
- quitar el polvo ☐
- limpiar el cuarto de baño ☐
- hacer la cama ☐

23. Mi vocabulario. Anota las palabras de la unidad que quieres recordar.

DE DISEÑO

1. ¿Qué te parecen estos diseños? Escribe tus comentarios en tu cuaderno.

Mercado de Santa Caterina, Barcelona.
Diseño de Enric Miralles, Benedetta Tagliabue y Toni Comella.

....

....

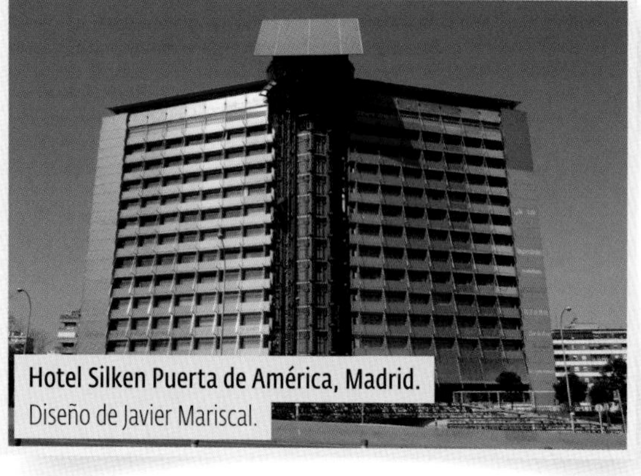
Hotel Silken Puerta de América, Madrid.
Diseño de Javier Mariscal.

....

....

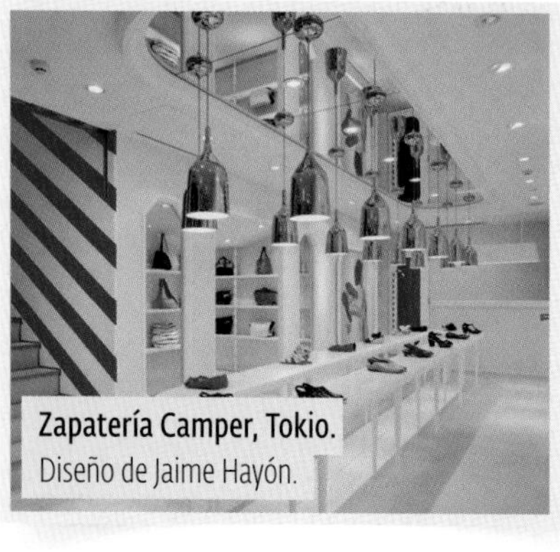
Zapatería Camper, Tokio.
Diseño de Jaime Hayón.

....

....

70-75

2. Escucha estos fragmentos de las conversaciones de la actividad 3 (página 61) y completa con las expresiones que faltan. Luego, clasifícalas en tu cuaderno según si valoran positiva o negativamente.

1
- ¿Y qué tal funciona?
- Bueno, (1)........................ O sea, además, es que (2)......................, porque te hace masajes en los pies, en las piernas, sobre todo en el cuello, que yo tengo muchísimas molestias... Bueno, para cualquier parte del cuerpo... Es increíble.
- ¿Y es fácil de usar?
- Sí, sí, (3)........................... Se enchufa en la corriente y ya está.

2
- ¿Qué le parece?
- (1)..........................., pero creo que con este vestido (2)...........................

3
- ¡Mira lo que nos ha regalado mi suegra!
- ¡Uf! ¡(1)..................!, ¿no?
- (2)............ Además, no sabemos ni para qué sirve.

4
- Pues (1)........................ Sirve para un montón de cosas: para amasar, para picar, para batir claras de huevo... (2)...........................
- Y, además, no ocupa mucho espacio, ¿no?
- ¡No, qué va! (3)..................................... Y (4).................., de verdad. Ayer hice una torta riquísima.

5
- (1)................., ¿no? Así puedes guardar las mantas y la ropa de invierno...
- Sí, (2).................. Caben un montón de cosas. Además, como mi dormitorio no es demasiado grande... Y mira qué fácil se abre: se levanta por aquí y ya está.
- ¡(3)................!

6
- Pues (1).................. Además, no tienes que poner casi aceite. Solo pones un poco de agua, las verduras o la carne o el pescado, o lo que quieras, y en unos minutos ya está: tienes una comida riquísima y muy muy sana.

3. Completa las siguientes descripciones.

Una silla

Es un mueble en ....

....

....

Una cartera

Es una cosa en ....

....

.... normalmente el dinero y las tarjetas de crédito.

Un quiosco

Es un establecimiento donde ....

....

....

Aceite

Es un líquido con ....

....

....

Una sartén

Es un utensilio con ....

....

....

4. ¿Cuáles de estos comentarios te parecen positivos (+)? ¿Cuáles negativos (-)? Márcalo.

	+	−
1. Los encuentro un poco caros.		
2. Me parece horroroso.		
3. Pues a mí no me desagrada.		
4. Esas son un poco llamativas, ¿no?		
5. No sé si voy a comprármela.		
6. La encuentro espantosa.		
7. No es excesivamente barato.		
8. Este me va genial.		

MÁS EJERCICIOS

5. Relaciona los elementos de las columnas para obtener definiciones. En algunos casos, hay varias posibilidades.

un abrigo	es	un mueble	con	el que	iluminas cuando no hay luz.
una linterna		una etapa	de	la que	descansas o puedes echar la siesta.
un sofá		un objeto	a		todo el mundo pasa.
un sacacorchos		un documento	por		puedes cortar un cable.
una tenaza		un lugar	en		te proteges del frío.
un pasaporte		una prenda de vestir			todo el mundo habla.
una biblioteca		una tienda			puedes viajar por otros países.
una droguería		un tema			vas a leer o a estudiar.
el tiempo		un utensilio			puedes comprar productos de limpieza.
la adolescencia		una herramienta			abres una botella.

6. Completa estas frases conjugando los verbos que están entre paréntesis en presente de indicativo o en presente de subjuntivo según corresponda.

1. He conocido a una chica que (llamarse) .... Alba.
2. Quiero un coche que no (costar) .... más de 12 000 euros.
3. Quiero llevar a María José a un restaurante que (tener) .... una terraza con vistas al mar. ¿Conoces alguno?
4. ¿Sabes dónde están los zapatos que (ponerse, yo) .... normalmente con el vestido rojo?
5. No encuentro ningún trabajo que (gustar, a mí) .... realmente.
6. ¿Sabes ese bar que (estar) .... en la esquina de tu casa? Pues allí nos encontramos ayer a Luisa.
7. ¿Conoces a algún arquitecto que (tener) .... experiencia en locales comerciales? Es que necesito encontrar uno urgentemente.

7. Imagínate que te encuentras en las siguientes situaciones. ¿Qué dices?

1. Quieres comprar unos pantalones vaqueros azules de 40 euros. Estuviste ayer en la tienda y te los probaste, pero no los compraste. ¿Qué le dices a la dependienta?

Busco unos pantalones vaqueros que ....

....

2. Quieres comprar una chaqueta de piel marrón. No te quieres gastar más de 100 euros. Entras a una tienda y le preguntas al dependiente si tiene algo así. ¿Cómo lo dices?

Estoy buscando una chaqueta que ....

....

3. Ayer, en un bar, conociste a Julia, una chica muy simpática que trabaja en el Hospital del Mar. Hoy se lo cuentas a un amigo. ¿Qué le dices?

Ayer conocí a una chica que ....

....

4. Quieres comprarte un champú biológico. Tienes el pelo muy graso y con tendencia a tener caspa. En muchas farmacias no tienen lo que buscas, así que has ido a una tienda de productos ecológicos. ¿Cómo explicas lo que quieres?

Busco un champú que ....

....

5. Eres celíaco y no puedes comer gluten. Una vez compraste un pan sin gluten en una panadería y te gustó mucho. Vuelves a la panadería para comprarlo. ¿Qué le dices al panadero?

Estoy buscando un pan que ....

....

8. Describe en tu cuaderno las siguientes cosas. Intenta usar las expresiones que aparecen al lado de las fotos.

1
Es...
Sirve para...
Funciona con...
Consume...
Ocupa...
Cabe en...
Va muy bien para...

2
Es...
Es de...
Sirve para...
Es muy...
Dura...

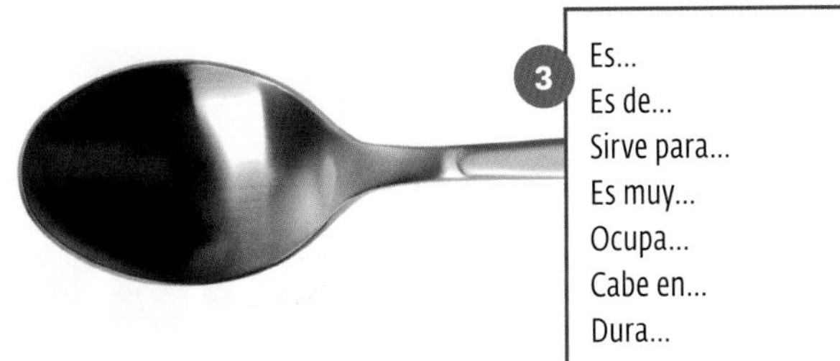

3
Es...
Es de...
Sirve para...
Es muy...
Ocupa...
Cabe en...
Dura...

4
Es...
Sirve para...
Funciona con...
Consume...
Ocupa...
Cabe en...
Va muy bien para...

5
Es...
Es de...
Lo usas cuando...
Se guarda en...

9. Relaciona estas cosas con su texto correspondiente.

gafas de sol | minifalda | cremallera | corbata

1 .... En julio de 1964, la diseñadora inglesa Mary Quant revolucionó el mundo de la moda con su nueva colección de verano, en la que mostró por primera vez esta prenda de vestir para la mujer. Esta falda corta, que medía entre 35 y 45 cm y que dejaba al descubierto la mayor parte de las piernas, tuvo y continúa teniendo un gran éxito.

2 .... El estadounidense Whitcomb L. Judson patentó en 1893 un sistema de cierre consistente en una serie de ojales y ganchos. En 1913, el sueco Sundback perfeccionó la idea de Judson y creó un cierre sin ganchos, con dientes metálicos que se encajaban los unos con los otros. Este cierre se utilizó primero en monederos y, en 1917, la Marina estadounidense lo utilizó en sus chaquetas oficiales. En España se llamó "cierre relámpago". Schiaparelli, en 1932, fue el primer diseñador que lo utilizó en sus modelos.

3 .... En el siglo XVII, en tiempos del rey Luis XIV, llegó a Francia un regimiento de caballería proveniente de Croacia. Los croatas, llamados por los franceses "cravates", tenían por costumbre usar una larga pieza de paño que sujetaban en el cuello para protegerse del frío. A los franceses les encantó la idea. Con el tiempo, este uso pasó a Italia y, después, a otros países de Europa.

4 .... Las primeras datan de 1885 y estaban hechas con un vidrio ligeramente coloreado. En la década de 1930 se convirtieron en un accesorio de moda cuando las popularizaron las estrellas de cine. En los años 50, aparecieron modelos extravagantes, una tendencia que siguió hasta bien entrados los años 60. En los 70, triunfaron los modelos más sobrios y, en los 80, se pusieron de moda las negras. Actualmente, hay una enorme variedad de estilos.

10. Ahora, en tu cuaderno, escribe un texto similar sobre otro objeto o prenda de vestir.

11. Lee el siguiente texto sobre Gaudí. ¿Qué características de su obra ves en las imágenes? Escríbelo en tu cuaderno.

GAUDÍ, EL ARQUITECTO DE LA NATURALEZA

Antoni Gaudí i Cornet (1852-1926) fue un artista total: arquitecto innovador, escultor, interiorista, ceramista, forjador... Empleó y combinó todo tipo de materiales: piedra, hierro, cerámica, yeso, cristal, madera y pintura. Sus principales fuentes de inspiración fueron el paisaje, la vegetación y la fauna de su Mediterráneo natal. De hecho, en la obra de madurez de Gaudí se produce una identificación entre arquitectura y naturaleza conocida como *arquitectura orgánica*. Gaudí combinaba sabiamente su dominio de la geometría y los cálculos matemáticos con métodos intuitivos que aplicó a su arquitectura, con lo que obtuvo formas equilibradas muy parecidas a las que se encuentran en la naturaleza.

«Ese árbol que crece ahí fuera, ese es mi mejor libro de arquitectura»

Su universo decorativo es riquísimo y complejo, repleto de símbolos en cada detalle. Para decorar sus edificios Gaudí exploró todas las técnicas tradicionales: los trabajos de forja, el uso del ladrillo, la cerámica, la ebanistería... Es el original uso de esas técnicas lo que da a sus obras su especial dimensión plástica. El lenguaje gaudiniano está lleno de color, texturas, formas ondulantes y constantes referencias al mundo vegetal y animal.

«El color es la señal de la vida»

EL MOSAICO

Aunque el mosaico está presente en Cataluña desde el siglo I d.C., el *trencadís* es una técnica nueva que no se utilizó hasta el Modernismo y que fue impulsada como método decorativo por Gaudí y sus discípulos. En esta técnica, los fragmentos que forman el mosaico suelen ser de cerámica, lo que permite realizar magníficas obras de arte con restos de baldosas rotas. El *trencadís* tiene la ventaja de ofrecer un diseño muy espontáneo. Se utiliza para la decoración de superficies verticales exteriores, en las que se obtienen ricos efectos decorativos.

GAUDÍ DISEÑADOR

Gaudí diseñó también el mobiliario para los edificios que le encargaron. Cada mueble es una auténtica pieza de arte y tiene personalidad propia, pero se combina y se integra tanto en el conjunto del mobiliario como en el espacio al que va destinado. El artista catalán estudió detalladamente el cuerpo humano para poder adaptar muchos de sus muebles a la anatomía humana.

Gaudí diseñó una estructura única en su género: un banco de dos plazas no alineadas. Aquí, el espacio de cada persona está delimitado por un apoyabrazos central que actúa de divisor. Además, los asientos están opuestos. Estamos ante una muestra del gusto de Gaudí por los símbolos: en la realidad íntima humana, las personas a menudo se encuentran solas y aisladas aunque compartan un mismo espacio.

SONIDOS Y LETRAS

12. Completa estas frases con **que** o **qué**.

1. ¿.......... es esto?
2. ¡.......... horror! ¡Es feísimo!
3. Quiero un gorro .... cueste menos de 20 euros.
4. ¡.......... maravilla de hotel!
5. Es un restaurante en el .... solo hacen tacos.
6. ¡.......... vestido tan bonito!
7. Yo creo .... con ese traje está guapísimo.

76

13. Subraya la sílaba tónica de estas palabras. Léelas poniendo énfasis en la sílaba tónica. Luego escucha y comprueba.

1. caro – carísimo
2. raro – rarísimo
3. feo – feísimo
4. rico – riquísimo
5. largo – larguísimo
6. cómodo – comodísimo

LÉXICO

14. Escribe tres nombres de...

1. aparatos eléctricos: ....
   ....
2. prendas de vestir: ....
   ....
3. muebles: ....
   ....
4. utensilios de cocina: ....
   ....
5. recipientes: ....
   ....
6. objetos de decoración: ....
   ....
7. establecimientos comerciales: ....
   ....
8. instrumentos musicales: ....
   ....

15. Fíjate en el ejemplo y transforma estas frases intensificando de otra manera el valor del adjetivo.

1. Es un vestido **muy feo**.
   Es un vestido feísimo.
2. Ayer en una tienda vi unos zapatos **supercaros**.
   ....
3. Tengo un aparato que hace unos zumos **muy buenos**.
   ....
4. El otro día me compré un sofá **muy cómodo**.
   ....
5. Me encanta. Es **muy moderno**.
   ....
6. Este horno tiene muchas funciones, es **muy práctico**.
   ....

16. Tacha el adjetivo que no se puede combinar con el nombre.

1. Un vestido **favorecedor** / **extravagante** / **fácil de usar** / **precioso**
2. Un hotel **sofisticado** / **feo** / **clásico** / **favorecedor**
3. Una camiseta **moderna** / **portátil** / **alegre** / **reversible**
4. Una situación **colorida** / **especial** / **delicada** / **cómoda**

17. Piensa en objetos que tienes con estas características. Escríbelos en tu cuaderno.

muy práctico | elegante | llamativo | clásico | original

18. Fíjate en estas frases y tradúcelas a tu lengua. ¿Entiendes cuándo decimos **sirve para** y **sirve de**?

- Es un aparato que **sirve para** cocinar al vapor todo tipo de alimentos.
- Es un sillón que **sirve de** maceta y de vivienda para los animales.

19. Mi vocabulario. Anota las palabras de la unidad que quieres recordar.

UN MUNDO MEJOR

1. ¿Qué te parecen estas iniciativas para cuidar el medio ambiente?

Alquilar bicicletas y usar bicicletas eléctricas

Muchas ciudades están implantando un servicio de alquiler de bicicletas públicas. Además, comienza a extenderse el uso de la bicicleta eléctrica como alternativa más cómoda y atractiva a la bicicleta convencional.

....

....

....

....

....

....

....

....

....

2. Busca en internet alguna iniciativa interesante para cuidar el medio ambiente. Prepara una presentación y di qué te parece.

77 **3.** Vuelve a escuchar la conversación de la actividad 3 (página 73) y completa las frases.

1
- ¿Qué es un despertador solar?
- ○ Pues un despertador que funciona con energía solar.
- Ah, es buena idea, ...
- ○ Pues a mí no me parece muy fiable, la verdad. Si no le da el sol no funciona, ¿no? Yo prefiero seguir usando el móvil.
- Pues no ...., ¿eh? No es bueno tener el móvil cerca de ti por la noche.

2
- ¿Y esto de los zumos lo haces?
- ○ No, yo los compro en tetrabriks pequeños. Me parecen muy prácticos. Me tomo uno cada mañana.
- Pues yo también lo hago así, igual ....
....

3
- Me ....,
pero vivo en la montaña e ir en bici cuesta arriba es duro, ¿eh?
- ○ Ya, es verdad... Yo es que vivo en la parte llana de la ciudad y es más fácil. No me canso nada.
- En cambio lo de compartir el coche con otra gente que va al mismo lugar que tú ....
- ○ ¿Ah, sí? Yo creo que no. No me gusta mucho la idea de ir con desconocidos.

4
- ¿Tú sabías esto de que las plantas eliminan los contaminantes del aire?
- ○ No, pero a mí me encantan las plantas, tengo una en mi oficina.
- Pues yo no. ...., ¿no?

5
- La verdad es que a veces necesito lavar algo y pongo una lavadora con la ropa que tengo.
- ○ Ah, yo eso no lo hago nunca. Siempre espero a tener mucha ropa sucia antes de poner una lavadora. Si no, me parece un gasto de agua y de electricidad inútil.
- Sí, yo sé que ...., pero...

4. Lee esta entrevista y contesta las preguntas en tu cuaderno.

«La gente sigue tratando mal a los animales»

Raúl Santos es el presidente de APDA, una asociación para la defensa de los animales. Acaba de publicar un libro titulado *Atacados e indefensos*.

¿En España todavía se maltrata a los animales?
Creo que hemos mejorado mucho en los últimos años, pero todavía hay mucha gente que se comporta de forma cruel con los animales.

Tu asociación denuncia cientos de casos cada año.
Sí, y nos parece vergonzoso que, a estas alturas, algunas personas traten a los animales así, pero ocurre. Cada año denunciamos aproximadamente 500 casos de familias que abandonan a su perro o a su gato. Es inconcebible que hagan eso con animales indefensos. Deberíamos tener leyes más duras para todas las personas que cometen esos crímenes.

¿Cuál es la postura de tu asociación respecto a las corridas de toros?
Las hemos denunciado muchas veces y todos los años organizamos manifestaciones delante de las plazas de toros. Es lamentable que en el siglo XXI todavía exista esta demostración de crueldad y creemos que debería aprobarse de inmediato una ley para prohibir las corridas en todas partes de España.

Pero hay algunos datos positivos, ¿no crees? Últimamente se han prohibido varias fiestas populares en las que se maltrataba a animales.
Es verdad que la situación actual es mucho mejor que la de hace dos años. Es lógico también que las leyes cambien y que se prohíban costumbres primitivas. Es más, pensamos que habría que prohibirlas todas ya. Nuestra postura es clara: pedimos que la sociedad y las leyes respeten a los animales.

1. ¿Qué piensa el entrevistado sobre el maltrato de animales? ¿Estás de acuerdo con su opinión?
2. ¿Qué casos de maltrato menciona?
3. ¿Qué soluciones propone?
4. ¿Estás de acuerdo con esas soluciones? ¿Se te ocurren otras?
5. ¿Crees que en tu país se dan casos de maltrato contra los animales? ¿Cuáles?

5. Piensa en tu ciudad o en tu país y completa estas frases.

1. Me parece horrible que ....
2. Es injusto que ....
3. No es lógico que ....
4. Es necesario que ....
5. Me parece una vergüenza que ....

6. Escribe en tu cuaderno qué piensas sobre estos temas.

1. Sobre las centrales nucleares
2. Sobre el cambio climático
3. Sobre los coches en la ciudad
4. Sobre los alimentos transgénicos
5. Sobre la experimentación médica con animales

78 **7.** Vas a escuchar a personas hablando de iniciativas para cuidar el medioambiente. Completa el cuadro.

	¿De qué hablan?	¿Qué les parece? ¿Y a ti?
1.		
2.		

8. Marca la opción correcta. Luego, escribe a qué crees que pueden referirse las expresiones en negrita en cada conversación.

1 ....

- ¿Qué piensas de **lo que** / **lo de** Mario?
- Ah, uf, no sé... Él está muy contento, pero yo no lo haría nunca. Me gusta demasiado vivir en la ciudad.

2 ....

- Ya sabes **lo que** / **lo de** ha hecho Julia, ¿no?
- Sí, está muy bien su página web. ¡Y parece que está funcionando!
- Sí, es que esto de compartir coche ahora se está empezando a hacer mucho...

3 ....

- ¿Te has enterado de **lo que** / **lo de** las luces?
- Sí. Me han dicho que con este cambio vamos a ahorrar mucha energía.
- Sí, parece que será un gran ahorro para la empresa.

4 ....

- ¡Qué fuerte **lo que** / **lo de** ha pasado en tu barrio!
- Sí, los vecinos están hartos del ruido y de la contaminación. ¡Es que hay muchísimo tráfico durante todo el día!

9. Imagina que en tu país se han publicado estos titulares. Escribe tu opinión en tu cuaderno.

Se prohíben los exámenes en las escuelas públicas

El Gobierno elimina varios impuestos a las parejas con hijos

Se prohíbe el matrimonio a menores de 21 años

Entra el vigor la nueva ley que permite fumar en todos los lugares públicos

Me parece fantástico que el Gobierno elimine los impuestos...

10. Completa esta tabla con las formas adecuadas del condicional.

	PREPARAR	SABER	DECIR	TENER	HACER
(yo)	prepararía	....	....	tendría	....
(tú)	....	sabrías	dirías	....	harías
(él/ella/ usted)	prepararía	....	....	tendría	....
(nosotros/ nosotras)	....	sabríamos	diríamos	....	haríamos
(vosotros/ vosotras)	prepararíais	....	....	tendríais	....
(ellos/ellas/ ustedes)	....	sabrían	dirían	....	harían

11. Relaciona estos usos del condicional con las siguientes conversaciones

a. expresar deseos
b. opinar sobre acciones y conductas
c. evocar situaciones imaginarias
d. aconsejar, sugerir

1 ☐

- ¡Qué jardín más grande! **Podrías** plantar un huerto, ¿no?
- Sí, es una buena idea

 ☐

- Es imperdonable lo de los productos transgénicos.
- Sí, la Unión Europea **debería** prohibir totalmente su venta.

 ☐

- Yo nunca me **iría** a vivir a un pueblo pequeño. **Echaría** de menos la ciudad, no **sabría** qué hacer...
- Yo tampoco lo haría. Me **aburriría** un montón.

 ☐

- Cada vez hay más tiendas que venden productos biológicos.
- Sí, me **encantaría** comprar siempre productos biológicos, pero es que es carísimo.

 ☐

- Yo nunca **me maquillaría** con cosméticos biológicos. Dicen que producen alergias...
- ¿Ah, sí?

 ☐

- Ana, **deberías** comprar siempre productos locales. Es importante que apoyemos la producción local.
- Ya...

 ☐

- Me **gustaría** mucho probar eso del *couchsurfing*. Ahorras dinero en alojamiento y además conoces gente.
- Sí, a mí también, pero **preferiría** hacer lo del intercambio de casas. Tú dejas tu casa a unos turistas y te vas de vacaciones a la suya.

8 ☐

- Elena siempre se queja de que no tiene dinero, pero es que no para de comprar ropa.
- Sí, yo creo que **tendría** que ahorrar un poco o comprar ropa de segunda mano.

12. Marca cuáles de estas cosas haces. De las que no haces, ¿cuáles harías y cuáles no? ¿Por qué? Escríbelo en tu cuaderno.

1. producir tu propia miel ☐
2. usar un despertador solar ☐
3. compartir coche con desconocidos ☐
4. hacer compost en casa ☐
5. no tener ningún producto hecho con piel de animal ☐
6. dejar de tomar productos lácteos ☐
7. dejar de comer carne ☐
8. plantar un huerto urbano ☐
9. invitar a desconocidos a casa ☐
10. vivir en el campo, en un lugar donde no hay ondas magnéticas ☐
11. comprar alimentos a granel ☐
12. no usar nunca bolsas de plástico ☐
13. hacerte tu propio champú con productos naturales ☐
14. reutilizar las botellas ☐

A mí me gustaría hacer mi propia miel, pero lo veo muy complicado y además ¡no me gustan nada las abejas!

MÁS EJERCICIOS

SONIDOS Y LETRAS

79

13. Marca la sílaba tónica de estos verbos. Luego escucha y comprueba. Repite poniendo énfasis en la sílaba tónica.

FUTURO	CONDICIONAL
sabré	sabría
sabrás	sabrías
sabrá	sabría
sabremos	sabríamos
sabréis	sabríais
sabrán	sabrían

LÉXICO

14. Escribe los sustantivos correspondientes a cada uno de estos adjetivos.

1. adjetivo: **injusto/-a**
sustantivo: ....

2. adjetivo: **sorprendente**
sustantivo: ....

3. adjetivo: **normal**
sustantivo: ....

4. adjetivo: **importante**
sustantivo: ....

5. adjetivo: **vergonzoso/-a**
sustantivo: ....

6. adjetivo: **sostenible**
sustantivo: ....

7. adjetivo: **exigente**
sustantivo: ....

8. adjetivo: **ético/-a**
sustantivo: ....

9. adjetivo: **difícil**
sustantivo: ....

10. adjetivo: **necesario/-a**
sustantivo: ....

11. adjetivo: **lógico/-a**
sustantivo: ....

12. adjetivo: **tonto/-a**
sustantivo: ....

13. adjetivo: **absurdo/-a**
sustantivo: ....

14. adjetivo: **grave**
sustantivo: ....

15. Completa los cuadros. Puedes buscar las palabras en la unidad.

SUSTANTIVO	ADJETIVO
ecología	....
reciclaje	....
contaminación	....

SUSTANTIVO	VERBO
reciclaje	....
ahorro	....
gasto	....
consumo	....
contaminación	....
producto	....
fabricación	....

16. Escribe qué cosas podemos...

Gastar / ahorrar: ....
....

Reciclar: ....
....

Plantar: ....
....

Compartir: ....
....

Proteger / cuidar: ....
....

Contaminar: ....
....

17. Completa las frases con las siguientes palabras.

1 reciclable | reciclado

a. En un pueblo de Jaén han hecho decoraciones navideñas solo con material .... Por ejemplo, no han usado lámparas ni espejos, que no se pueden reciclar.
b. Yo siempre compro papel .... No tiene un color tan blanco, pero para escribir me sirve...

2 contaminado | contaminante

a. Mi novio nunca usa papel de aluminio. Dice que es un material muy .... y que puede provocar enfermedades graves si entra en contacto con la comida.
b. ¿Sabías que el mar Mediterráneo está muy ....? Como es un mar muy cerrado y hay muchísimo tráfico marítimo...

3 productos | producción

a. ¿Sabes que hay .... de limpieza ecológicos? Detergente para la lavadora, lavavajillas...
b. Ha aumentado mucho la .... de soja transgénica en los últimos años.

4 alimentos | alimentación

a. Últimamente solo compro .... de producción local.
b. Es muy importante llevar una .... sana desde que somos pequeños.

5 fábrica | fabricación

a. ¿Te has enterado de que han cerrado una .... de jabón que estaba aquí al lado?
b. Debería prohibirse la .... y la venta de armas en todos los países del mundo.

18. ¿Cómo traducirías a tu lengua en cada caso las palabras de la actividad anterior? Escríbelas en tu cuaderno.

19. Completa con los adjetivos adecuados. Puedes buscarlos en la unidad.

1. **huerto que se encuentra en una ciudad**:
   huerto ....
2. **agua envasada en botellas**:
   agua ....
3. **personas que realizan su actividad en el lugar en el que viven**:
   productores ....
4. **materias que extraemos de la naturaleza para elaborar bienes de consumo**:
   materias ....
5. **despertador que funciona con la energía del sol**:
   despertador ....
6. **energía que se libera en las reacciones nucleares**:
   energía ....
7. **cuchillas de afeitar que se tiran después de varios afeitados**:
   cuchillas ....
8. **estudios que los niños y jóvenes tienen que cursar obligatoriamente**:
   escuela ....
9. **ropa que no deja pasar el agua**:
   ropa ....
10. **árboles que producen frutas**:
    árboles ....

20. Mi vocabulario. Anota las palabras de la unidad que quieres recordar.

MISTERIOS Y ENIGMAS

1. Lee este texto sobre los moáis de la Isla de Pascua y, luego, marca si las afirmaciones son verdaderas o falsas.

LOS MOÁIS

La Isla de Pascua encierra uno de los grandes misterios de la humanidad: los moáis. Se trata de gigantescas esculturas de piedra de origen volcánico con forma de cabeza y torso humanos, que pesan entre 8 y 20 toneladas. Hay unas 1 000 en toda la isla, todas diferentes, y se cree que representaban a dioses o a miembros destacados de la comunidad.

Aunque las estatuas están ubicadas cerca del mar, todas ellas miran hacia tierra. Las más impresionantes son probablemente las que están situadas en las laderas del volcán Rano Raraku. Estos moáis tienen unas características especiales. La nariz se vuelve hacia arriba y los labios, muy delgados, se proyectan hacia adelante en un gesto de burla. No tienen ojos y, en los lados de la cabeza, parecen tener unas orejas alargadas o algún tipo de prenda para la cabeza. La estatua más grande mide veintidós metros y la más pequeña, tres.

Los moáis constituyen uno de los principales legados de la cultura Rapa Nui. Sin embargo, los pascuenses, a diferencia de otras culturas antiguas, conservan pocas leyendas sobre sus orígenes, por lo que los investigadores no cuentan con la ayuda de la tradición oral para intentar resolver el misterio.

Por el momento, son muchas las preguntas que siguen sin respuesta. ¿Qué representan exactamente los moáis? ¿Cómo consiguió la civilización Rapa Nui llevar a cabo una obra semejante? ¿Qué técnicas utilizaron? ¿Cómo transportaban los inmensos bloques de piedra?

	V	F
1. Parece probable que estas figuras representen a dioses o a miembros de la comunidad.		
2. Todas las estatuas están orientadas hacia tierra.		
3. Los moáis son anteriores a la cultura Rapa Nui.		
4. Todavía quedan muchas cuestiones por aclarar acerca del misterio de los moáis.		

2. Busca en internet las principales hipótesis sobre los siguientes misterios relacionados con los moáis. Anótalas en tu cuaderno.

- ¿Qué representan exactamente los moáis?
- ¿Cómo consiguió la civilización Rapa Nui llevar a cabo una obra semejante?
- ¿Qué técnicas utilizaron?
- ¿Cómo transportaban los inmensos bloques de piedra?

3. Lee los testimonios de estas personas y contéstales, dando posibles explicaciones a sus problemas.

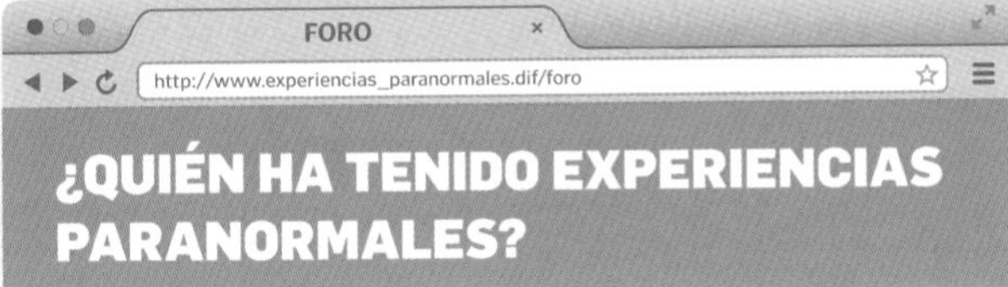
FORO
http://www.experiencias_paranormales.dif/foro
¿QUIÉN HA TENIDO EXPERIENCIAS PARANORMALES?

Esta mañana me he levantado perfectamente, como cualquier otro día, y he hecho mis cosas. Todo como siempre. Pero, al mediodía, he vuelto a casa del trabajo, me he empezado a sentir fatal y me han entrado unas ganas de llorar como jamás había sentido. No entiendo por qué, en el trabajo no me ha pasado nada, he llamado a mi familia y todos están bien... Solo sé que quería irme a la cama, pero no podía. Tengo mucho miedo, todavía me encuentro fatal, con esta angustia insoportable dentro de mí. ¿Qué creéis que me pasa? Espero vuestras respuestas, a ver si me puedo ir a dormir más tranquila.

Carla (Valencia)

Desde hace unas semanas tengo una sensación extrañísima, la de encontrarme en un lugar fuera del mío. Miro a mi alrededor y, a veces, tengo visiones de ese lugar, completamente diferente al lugar donde de verdad me encuentro: hay mucha vegetación y ruinas. No sé, me pasan algunas cosas más, pero son demasiado incomprensibles. ¿Alguien me puede ayudar?

Fernando (Mallorca)

Hace unos meses empecé a practicar yoga y a probar técnicas de meditación. Un día, mi concentración me llevó al recuerdo de una chica que había visto ese día y, de repente, sentí que estaba dentro de ella. Fue una sensación rápida, pero intensa. No le di importancia; pensé que seguramente me lo había imaginado. Sin embargo, al día siguiente noté que la chica estaba dentro de mí. Fue curioso, porque en esos momentos no estaba meditando. Desde entonces, al menos una vez a la semana tengo la misma sensación, siempre en momentos en los que estoy solo y relajado. ¿A alguien le ha pasado algo parecido? ¿A qué pensáis que se debe eso?

Julián (Cáceres)

4. Completa las frases con los elementos de la lista. Justifícalo.

- leer el pensamiento
- adivinar el futuro
- recordar vidas anteriores
- ver un fantasma
- ser inmortal
- tener sueños que se cumplen
- viajar en el tiempo
- hacer magia
- ver un ovni
- leer las manos
- ser invisible
- ser abducido/-a por un extraterrestre

1. Me gustaría ....

2. Me daría mucho miedo ....

3. Sería interesante ....

5. Ahora, escoge uno de los elementos de la lista de la actividad anterior y escribe lo que piensas: si crees que es posible, si tiene una explicación racional, etc.

6. Responde a estas preguntas usando **no creo** o **no me lo creo**.

1
- ¿Sabes que ya ha llegado Juan?
- ○ ....

2
- ¿Sabes si ya ha llegado Juan?
- ○ ....

3
- ¿Sabes si Mario se ha casado?
- ○ ....

4
- ¿Sabes que Mario se ha casado?
- ○ ....

5
- ¿Sabes que ya han publicado mi artículo en el periódico?
- ○ ....

6
- ¿Sabes si ya han publicado mi artículo en el periódico?
- ○ ....

7. Completa estos diálogos con los verbos en indicativo o en subjuntivo.

1
- ¿Y qué significa soñar con famosos?
- ○ Bueno, normalmente suele ser algo positivo. Una persona que ha tenido un sueño de este tipo es probable que (recibir, ella) .... pronto una oferta de trabajo interesante o un aumento de sueldo o que (conocer, ella) .... a alguien especial. Lo más seguro es que esa persona (experimentar, ella) .... cambios positivos, del tipo que sean, y que (empezar) .... a cumplirse sus sueños.

2
- Cuando soñamos algo así, es muy probable que (tener, nosotros) .... miedo de algo que tenemos que afrontar. Quizás (haber) .... obstáculos que impiden que siga su camino y debe vencerlos. O tal vez (estar, él) .... intentando evitar a alguien. También puede que (significar) .... que no quiere aceptar algo nuevo en su vida. O que no quiere aceptar una idea o un punto de vista.
- ○ Em... Es decir, que esa persona tiene mucho trabajo que hacer.
- Sí. Normalmente, si soñamos que lo que nos persigue consigue atraparnos, lo más seguro es que todavía (quedar) .... mucho por hacer. Si no nos atrapan, lo más seguro es que ya (estar, nosotros) .... a punto de vencer los obstáculos.

3
- El tercer caso es para los que sueñan que se pierden.
- ○ Sí, este es también un sueño muy recurrente. Y es fácil de interpretar. El que sueña que se pierde se siente perdido en su vida, no sabe qué camino elegir o está preocupado porque no sabe si una decisión que ha tomado es correcta o no. A lo mejor (encontrarse, él) .... en un momento de cambio y (tener, él) .... que acostumbrarse a nuevos lugares, nuevos hábitos y nuevas personas.

80 - 82 8. Ahora escucha lo que dice el experto en interpretación de los sueños (página 91) y comprueba tus respuestas de la actividad anterior.

9. Busca en internet información sobre el significado de estos sueños y prepara una presentación.

- Soñar que volamos
- Soñar que nos caemos
- Soñar que estamos en una casa

83 - 85

10. Tres personas llaman a un programa de radio y cuentan un problema que tienen. Escucha y completa el cuadro.

	¿QUÉ PROBLEMA TIENEN?	¿QUÉ EXPLICACIÓN DA EL EXPERTO?
1.		
2.		
3.		

11. Completa estos diálogos conjugando en el tiempo verbal adecuado los verbos que están entre paréntesis.

1. • ¿Dónde está Pedro?
   ○ No sé. (estar estudiando) .... en la biblioteca... Es que tiene los exámenes finales dentro de una semana.

2. • ¿Y tu hermano? Hace rato que ha salido de casa y todavía no ha vuelto.
   ○ No sé, (estar) .... en el supermercado. Siempre se pasa mucho tiempo ahí.

3. • María lleva todo el mes insistiendo en invitarme a cenar. No sé qué quiere. Estoy un poco preocupada.
   ○ No (ser) .... nada, mujer. (querer) .... charlar un rato contigo y ya está.

4. • La semana pasada Raúl no vino a clase, ¿no? ¿Sabes qué le pasó?
   ○ (estar) .... con la mudanza. Sé que tenía que cambiarse de piso. Seguramente mañana vendrá.

5. • ¿Qué hace Luis hablando con María? ¿(querer) .... contarle algo malo de nosotros?
   ○ No, mujer, (estar hablando) .... de sus cosas, ¿no ves que son amigos?

6. • Victoria estaba rarísima ayer, ¿no? Normalmente habla mucho y hace bromas y ayer no abrió la boca.
   ○ Sí es verdad. (estar preocupada) .... por algo, ¿no?
   • O triste...

7. • ¿Has visto mis llaves? Llevo media hora buscándolas.
   ○ Las (tener) .... en algún bolsillo, como siempre.

8. • Ayer vi a Sara por la calle, pero pasó de largo y no me saludó. ¡Qué antipática, la tía!
   ○ No, hombre, no, Sara no es así. Hace mucho que no os veis, ¿no? Pues no (reconocerte) .... y por eso no te saludó.

12. Lee estos diálogos y marca para qué se usa el futuro simple en cada caso.

a. para hacer hipótesis sobre el presente
b. para referirse al futuro o hacer predicciones sobre el futuro

1. • No puedo dejar de pensar en él. ¿Me **estaré** volviendo loca? ☐
   ○ No, mujer, pero no te obsesiones...

2. • ¡Qué bien vestido viene Juan! ¿**Vendrá** del trabajo? ☐
   ○ Seguramente. Como trabaja en un banco tiene que ir con traje...

3. • ¿Tú crees que **existirán** algún día los medicamentos contra sentimientos como el miedo o los celos? ☐
   ○ Seguro, ya existen medicamentos parecidos.

4. • ¿Va a venir Juan a la fiesta? ☐
   ○ Sí, pero **llegará** un poco más tarde.

5. • Raquel no me contesta mis mails. ¿Tú crees que **estará** enfadada por algo? ☐
   ○ No, hombre, no. No **podrá** conectarse a internet... Cuando viajas no es fácil.

6. • ¿**Iréis** al Cañón del Colorado? ☐
   ○ Sí, claro, y también **pasaremos** por Las Vegas.

13. María está preocupada porque su novio no ha llegado a casa. Escribe las diferentes hipótesis que baraja María usando el futuro simple o las estructuras del cuadro.

Puede que...	A lo mejor...
Seguramente...	Quizás...
Posiblemente...	Lo más seguro es que...

1. ....
....
2. ....
....
3. ....
....
4. ....
....
5. ....
....

SONIDOS Y LETRAS

14. Fíjate en el uso de las comas en estas frases. Relaciona cada frase con un uso.

- ◯ Fenómenos paranormales: premoniciones, telepatía y sueños que se hacen realidad.
- ◯ En la región de Nazca, al sureste del Perú, existen unas espectaculares y misteriosas líneas trazadas en el suelo.
- ◯ Hay un pájaro de 300 metros de largo, un lagarto de 180, un pelícano, un cóndor y un mono de más de 100 metros.
- ◯ Luis, lo que dices lo leí hace poco en un artículo.
- ◯ Paul Kosok, el primero en realizar una observación aérea, dijo que se trataba de caminos o rutas para procesiones rituales.
- ◯ No creo que sea una teoría científica, pero probablemente sirva para aprender a ser más optimistas y a tener confianza en nosotros mismos.
- ◯ La Frida de la izquierda lleva un traje europeo y la de la derecha, uno tradicional.

1. antes de determinados conectores (como **pero**, **aunque**, **así que**, **de modo que**, etc.)
2. para separar elementos de una enumeración
3. para separar sustantivos que sirven para llamar o nombrar al interlocutor
4. al principio y al final de expresiones que intercalamos en una frase para dar más información
5. para separar el sujeto de los complementos cuando no aparece el verbo

15. Pon comas en estas frases.

1. Pasa Pablo.
2. Ayer vi a Javi el novio de Yolanda en un bar.
3. Este año Luis va de vacaciones a Cuba. Yo a Tailandia.
4. Mi marido es astrólogo así que estoy familiarizada con esto de los horóscopos.
5. Ayer soñé que vivía en una casa de lujo. Tenía una piscina diez habitaciones un jardín enorme un baño con jacuzzi...

LÉXICO

16. ¿Cómo son estas personas? Completa con los verbos adecuados.

JON

es | ve | se deja llevar por

1. .... el optimismo.
2. .... confiado.
3. .... el lado positivo de las cosas.
4. .... el futuro con optimismo.
5. No .... desconfiado.
6. .... la buena fe.

CÉSAR

se muestra | está | tiene

1. No .... confianza en sí mismo.
2. No .... ganas de hacer nada.
3. .... pensamientos negativos.
4. .... enfadado.
5. .... asustado porque no ve claro su futuro.
6. .... amable solo con quien le interesa.

17. ¿**Sentir** o **sentirse**? Marca la opción correcta.

1

- Últimamente Diego está muy triste, ¿no?
- Sí, **siente** / **se siente** muy solo desde que se ha separado.

2

- ¿Por qué no viniste ayer al final?
- **Sentía** / **Me sentía** fatal y preferí quedarme en casa descansando.

3

- ¿Qué tal con David?
- Me encanta, **siento** / **me siento** que me estoy enamorando.

4

- Ayer vi a Clara. Está muy enfadada con su jefe.
- Sí, pero es normal que **sienta** / **se sienta** rabia, la han echado injustamente.

5

- Esta mañana he ido a correr una hora antes de venir al trabajo.
- ¿Ah, sí? ¿Y eso?
- No sé, hace tiempo que no hago deporte y **he sentido** / **me he sentido** la necesidad de salir a correr.

6

- ¿Qué te pasa? Estás muy rara últimamente.
- No sé... **Siento** / **Me siento** muy perdida, no sé qué decisiones tomar...

18. Relaciona estas experiencias con sus posibles explicaciones.

1. tener pesadillas
2. tener visiones
3. tener una premonición
4. tener telepatía
5. tener un sexto sentido

a. Tener la capacidad de intuir cosas. ☐

b. Soñar cosas que causan sufrimiento. ☐

c. Pensar lo mismo o tener las mismas sensaciones que otra persona con la que no hay ningún tipo de comunicación física. ☐

d. Ver cosas que no existen en la realidad. ☐

e. Creer que algo concreto va a ocurrir. ☐

19. Mi vocabulario. Anota las palabras de la unidad que quieres recordar.

¿Y QUÉ TE DIJO?

1. Pilar ha recibido varios mails de sus compañeros de trabajo. Léelos y completa las frases resumiendo qué le piden.

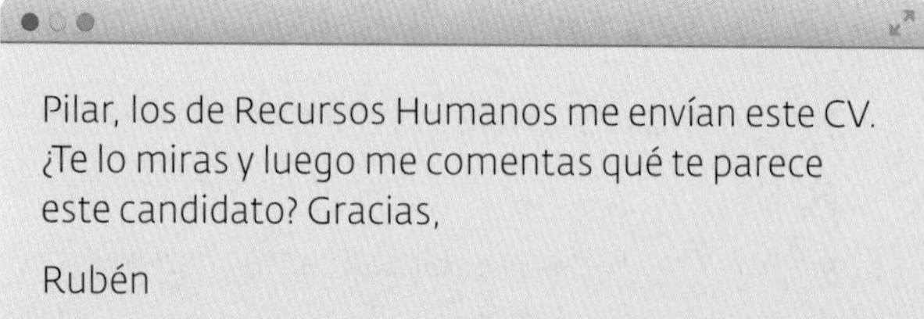

Pilar, los de Recursos Humanos me envían este CV. ¿Te lo miras y luego me comentas qué te parece este candidato? Gracias,

Rubén

Pilar, recuerda que este viernes vienen los ingleses a darnos la formación. A mediodía vamos a hacer un almuerzo en el jardín. ¿Podrías encargarte de buscar el *catering*, por favor?

Tere

Buenos días, Pilar:

Por favor, envíame en cuanto puedas el informe de la reunión que tuvimos el pasado lunes.

Un saludo,

Lola

Te envío un artículo interesante que puede servirte para la conferencia que vas a dar en Sevilla. Léetelo y, si tienes dudas, hablamos.

Un saludo,

Marco

Pilar, no he recibido el calendario laboral de este año que nos envió Carlos. ¿Lo tienes tú? ¿Me lo puedes enviar, por favor?

¡Gracias!

Marta

Pilar, necesito que me hagas un favor. Mira, te explico: resulta que tenía que ir a buscar al señor Torres (nuestro nuevo cliente) al aeropuerto, pero se ha alargado la reunión y ya no llego a tiempo. ¿Podrías ir tú o pedirle a alguien de la oficina que vaya? Ahí estáis más cerca del aeropuerto que yo...

David

Rubén le ha dicho que ....

....

Tere le ha pedido que ....

....

Lola le ha dicho que ....

....

Marco le ha recomendado que ....

....

Marta le ha pedido que ....

....

David le ha pedido que ....

....

2. ¿Te han intentado estafar alguna vez? Escribe en tu cuaderno un texto como los de la página 97 contando la historia.

Yo, una vez, me compré un teléfono móvil y...

3. Fíjate en cómo transmite Fran estas frases que le han dicho. ¿Lo que le dijeron sigue estando vigente en el momento en que transmite el mensaje? Escribe **sí** o **no** en cada caso.

1 ....

Estilo directo	Estilo indirecto
Anabel: "Últimamente **estás** muy guapo."	Anabel me dijo que últimamente **estoy** muy guapo.

2 ....

Estilo directo	Estilo indirecto
Su madre: "¡Qué guapo **estás** hoy!"	Ayer mi madre me dijo que **estaba** muy guapo.

3 ....

Estilo directo	Estilo indirecto
Mercedes: "Ahora **estoy viviendo** en Madrid."	Ayer vi a Mercedes y me dijo que **está** viviendo en Madrid.

4 ....

Estilo directo	Estilo indirecto
Fran: "¿Salimos a tomar algo?" Leo: "No, hoy no. Es que **estoy** un poco cansada."	"Ayer le propuse a Leo salir a tomar algo pero me dijo que **estaba** cansada."

 ....

Estilo directo	Estilo indirecto
Cristina: "El mes que viene **no voy a poder ir** con vosotros a Tailandia..."	"Cristina me dijo que no **va a poder venir** con nosotros a Tailandia el mes que viene."

 ....

Estilo directo	Estilo indirecto
Fran: "¿Vendrás a nuestra boda?" Anaís: "Claro que vendré."	"Anaís me dijo que **vendría** a la boda, pero al final no ha podido venir."

86

4. Algunos amigos de Gastón están hablando sobre él. Lee la conversación y complétala con los verbos siguientes en el tiempo verbal correspondiente. Luego escucha y comprueba.

proponer | comprar | venir | llevar | poder (2) | hacer (2) | dejar de | salir

- Gastón últimamente se está pasando un poco, ¿no? No para de pedir cosas...
- Sí, a mí esta mañana me ha llamado y me ha pedido que le (1) .... el pan y se lo (2) .... a su casa.
- ¿Y lo has hecho?
- Pues sí, como vivo al lado y de todas formas tenía que bajar a comprar el pan para mí... Y no me importa hacerle un favor, ¡pero es que él nunca hace nada!
- Pues mira, a nosotros el otro día nos preguntó si le (3) .... dejar el coche.
- ¿El vuestro?
- Sí, porque resulta que tiene una cita con una chica y quiere impresionarla.
- Pues no sabes lo mejor: a Azucena le ha pedido que le (4) .... una traducción de 20 páginas. Como ella es traductora, pues venga...
- Yo creo que el problema no es que pida mucho. Es que es un egoísta, hace lo que quiere y nunca piensa en los demás. A mí me dijo que (5) .... a la fiesta que hice el sábado aquí en casa y después no se presentó y ¡ni siquiera me mandó un mensaje!
- Ya, no le da importancia a esas cosas. Yo creo que es que no se da cuenta. Él ve las cosas desde su perspectiva. Por ejemplo, a Rita hace un tiempo le preguntó si (6) .... hacerse pasar por su novia delante de sus padres.
- ¿En serio?
- Sí, le dijo que sus padres estaban muy preocupados porque no (7) .... con nadie y que si lo hacía le (8) .... un favor muy grande porque así sus padres (9) .... hablarle de ese tema. ¡Pero cuando me lo contó a mí me dijo que era Rita la que se lo (10) ....!
- Pues yo pienso que sí se da cuenta y que es un manipulador...

MÁS EJERCICIOS

5. Ayer Lidia habló con varias personas en varios contextos. Ese mismo día, les contó esas conversaciones a otras personas. Completa las frases. Ten en cuenta si las frases son aún vigentes o no.

Ayer durante el día	Ayer por la noche
Su hijo: • Mamá, eres la madre más guapa del mundo.	○ Mi hijo me ha dicho que ....
Una vecina en el ascensor: • Lidia, tienes muy buen aspecto.	○ Mi vecina me ha dicho que ....
Un policía en la calle: • Señora, no puede aparcar la moto en la acera.	○ Esta mañana ....
Un compañero de trabajo: • Lidia, te tengo que contar una cosa.	○ Esta mañana un compañero de trabajo me ha dicho que ....
Su jefa: • Lidia, últimamente te veo muy despistada.	○ Esta tarde mi jefa me ....
Su hermana: • Lidia, ¿puedo ponerme tu vestido azul?	○ ....

6. Imagina que Lidia cuenta hoy lo que le dijeron ayer. Completa las frases. Ten en cuenta si las frases son aún vigentes o no.

Ayer durante el día	Hoy
Su hijo: • Mamá, eres la madre más guapa del mundo.	○ Ayer hijo me dijo que ....
Una vecina en el ascensor: • Lidia, tienes muy buen aspecto.	○ Ayer una vecina me dijo que ....
Un policía en la calle: • Señora, no puede aparcar la moto en la acera.	○ Ayer por la mañana ....
Un compañero de trabajo: • Lidia, te tengo que contar una cosa.	○ Ayer por la mañana un compañero de trabajo me dijo que ....
Su jefa: • Lidia, últimamente te veo muy despistada.	○ Ayer por la tarde mi jefa me ....
Su hermana: • Lidia, ¿puedo ponerme tu vestido azul?	○ ....

87 - 88

7. Vas a escuchar dos conversaciones entre compañeros de trabajo. Escucha y toma nota.

Conversación 1:
Mar y Sebas hablan de su jefe, Paco

a. ¿Dónde está Paco? ¿Qué está haciendo?

....

b. ¿Cuándo vuelve?

....

c. ¿Cuándo va a llamar Mar a Paco?

....

d. ¿Qué tiene que decirle?

....

Conversación 2:
Discusión entre Sara y Antonio

e. ¿Qué le pide Antonio a Sara?

....

f. ¿Cuándo tiene que hacerlo?

....

g. ¿Por qué?

....

h. ¿Qué le reprocha Antonio a Sara?

....

8. Un tiempo después Sebas y Sara cuentan a otros compañeros la conversación que tuvieron. Completa con las palabras adecuadas.

1. • "Mar me dijo que Paco estaba en Roma y que volvía el lunes .... Me dijo que le iba a llamar .... un rato para decirle que .... tarde tenía que salir antes del trabajo para llevar a .... hija al médico."

2. • "Me dijo que tenía que limpiar la oficina porque .... venían unos inversores a ver la empresa. Pero es que me lo dijo de una forma... Que tenía que hacerlo.............. momento, que todos .... papeles que estaban en .... mesa eran .... y que siempre hacía lo mismo... No sé, creo que no hacía falta decirlo así."

9. ¿Has oído hablar del *coworking*, el *hotdesking* o el *hotelling*? Son nuevas tendencias de trabajo. Busca información sobre una de ellas y redacta un texto en tu cuaderno.

Da información sobre:

- Qué es
- Quiénes trabajan así
- Recursos o herramientas necesarias
- Ventajas e inconvenientes

10. Piensa en alguna experiencia que hayas tenido y resúmela por escrito en tu cuaderno. Aquí tienes algunas ideas.

Una vez que quise devolver una cosa en una tienda y fue un poco complicado.

Una vez que hice una reserva en un restaurante o en un hotel y no lo habían anotado.

Una vez que en un examen me pusieron una nota injusta y protesté.

Una vez que participé en un curso.

MÁS EJERCICIOS

SONIDOS Y LETRAS

89 - 90

11. Escucha las siguientes conversaciones y fíjate en la entonación de las palabras marcadas en negrita. Luego, representa los diálogos con un compañero.

1
- Hola Toni. ¿Ya estás mejor?
- ○ Sí, sí. Esta mañana estaba medio mareado, pero estoy bien.
- Bueno. Oye, te espera una tarde completita, **¿eh?** Tienes que hacer un montón de cosas.
- ○ Vale, ¿qué hay que hacer?
- A ver, primero, lo más urgente, tienes que ir a la copistería a hacer tres copias del contrato del señor Páez, este de aquí, **¿vale?** Es que la fotocopiadora vuelve a estar estropeada. Lo sabes, ¿no?
- ○ Sí, sí...

  (...)
- ¿Qué más? Ah, sí. Muy importante. Tienes que ir a llevar el coche del jefe a lavar, que te lo dejen como nuevo, **¿eh?**

2
- Siempre haces lo mismo. Empiezas a acumular papeles y como no te caben en tu mesa los pones en la mía.
- ○ Lo que hay en tu mesa no es mío.
- ¿Ah, no? ¿De quién es este libro? ¿Y este montón de carpetas?
- ○ Bueno, están pisando un poco tu mesa, no es para tanto.
- Mira, no es que a mí me moleste, pero mañana vienen unos inversores a ver la empresa y esto tiene que estar limpio, **¿de acuerdo?**
- ○ Vale.
- Pero hazlo, **¿eh?**

LÉXICO

12. ¿Con qué verbos puedes combinar estas palabras? En algún caso hay más de una opción.

1. hacer **2.** cobrar **3.** ser **4.** montar

..... funcionario

..... el paro

..... una reunión

..... un informe

..... jefe

..... autónomo

..... el sueldo del mes

..... candidato a un trabajo

..... una sustitución

..... una factura

..... la declaración de la renta

..... empresario

13. Completa esta tabla (puedes buscar las palabras en los textos de las páginas 104 y 105). Luego, escribe en tu cuaderno tres adjetivos más para describir cualidades importantes de un trabajador. Escribe también el sustantivo.

ADJETIVOS	SUSTANTIVOS
	productividad
	innovación
	colaboración
autodisciplinado/-a	
organizado/-a	

14. Estas son frases de los textos de la páginas 104 y 105. ¿Entiendes qué significan? Intenta reformularlas sin usar lo que está marcado en negrita.

Resultar + adjetivo

"Para algunas personas **puede resultar** confuso vivir y trabajar en el mismo espacio."

Dar libertad a alguien para + verbo

"Muchas empresas **están dando libertad a** sus empleados **para** que trabajen desde casa."

Surgir

"**Están surgiendo** nuevos perfiles de trabajador."

Llevar una vida + adjetivo

"Aquí **llevo una vida** mucho más tranquila que en Madrid."

Correr el riesgo de + verbo

"Los trabajadores **corren el riesgo de** sentirse aislados en casa."

Ser reticente a + sustantivo / verbo

"La mayoría de empresas **son reticentes a** esa forma de trabajo.

Según

"**Según** un estudio de Online Business School, el 27% de las empresas españolas apuesta por el teletrabajo."

Apostar por + sustantivo

"El 27% de las empresas españolas **apuesta por** el teletrabajo."

15. Ahora reformula estas frases usando las expresiones indicadas.

1. La mayoría de españoles prefiere vivir en un piso de propiedad a vivir de alquiler. (**ser reticente a**)

 ....

2. No es fácil encontrar un trabajo estable hoy en día. (**resulta**)

 ....

3. Los autónomos que solo tienen un cliente pueden perderlo y quedarse sin cobrar el paro. (**correr el riesgo de**)

 ....

4. Muchas empresas españolas están empezando a usar energía solar. (**apostar por**)

 ....

5. Muchos estudios dicen que trabajar en casa aumenta la productividad. (**según**)

 ....

16. Piensa en tu trabajo y escribe palabras relacionadas con estos ámbitos. Si lo necesitas, busca en el diccionario.

- tu profesión:

 ....

 ....

- tipo de contrato que tienes (indefinido, temporal...)

 ....

 ....

- herramientas que usas para comunicarte con compañeros o clientes

 ....

 ....

- objetos que usas en tu lugar de trabajo

 ....

 ....

- herramientas que usas para compartir documentos

 ....

 ....

17. Clara le cuenta a su novio la conversación que ha tenido con su madre por teléfono. Transforma las frases a estilo indirecto. Ten en cuenta que cuando transmitimos las palabras de otros, los verbos que tienen que ver con el espacio cambian.

1. "Nunca **venís** a verme."

 Dice mi madre que ....

 ....

2. "Este fin de semana, ¿**vais** a algún sitio o podéis **venir** casa?"

 Dice mi madre que ....

 ....

3. "Pues entonces el domingo **venid** a comer."

 Dice mi madre que ....

 ....

4. "**Traed** algo de postre."

 Dice mi madre que ....

 ....

5. "Mañana por la tarde **iré** a tu casa a veros y te **llevaré** las llaves."

 Dice mi madre que ....

 ....

18. Mi vocabulario. Anota las palabras de la unidad que quieres recordar.

VERBOS

REGULARES

PRESENTE	PRETÉRITO IMPERFECTO	PRETÉRITO INDEFINIDO	PRETÉRITO PERFECTO verbo **haber** + participio	PRETÉRITO PLUSCUAMPERFECTO verbo **haber** + participio

estudiar
Gerundio: **estudi**ando
Participio: **estudi**ado

PRESENTE	PRETÉRITO IMPERFECTO	PRETÉRITO INDEFINIDO	PRETÉRITO PERFECTO	PRETÉRITO PLUSCUAMPERFECTO
estudi**o**	estudi**aba**	estudi**é**	he estudi**ado**	había estudi**ado**
estudi**as**	estudi**abas**	estudi**aste**	has estudi**ado**	habías estudi**ado**
estudi**a**	estudi**aba**	estudi**ó**	ha estudi**ado**	había estudi**ado**
estudi**amos**	estudi**ábamos**	estudi**amos**	hemos estudi**ado**	habíamos estudi**ado**
estudi**áis**	estudi**abais**	estudi**asteis**	habéis estudi**ado**	habíais estudi**ado**
estudi**an**	estudi**aban**	estudi**aron**	han estudi**ado**	habían estudi**ado**

comer
Gerundio: **com**iendo
Participio: **com**ido

PRESENTE	PRETÉRITO IMPERFECTO	PRETÉRITO INDEFINIDO	PRETÉRITO PERFECTO	PRETÉRITO PLUSCUAMPERFECTO
com**o**	com**ía**	com**í**	he com**ido**	había com**ido**
com**es**	com**ías**	com**iste**	has com**ido**	habías com**ido**
com**e**	com**ía**	com**ió**	ha com**ido**	había com**ido**
com**emos**	com**íamos**	com**imos**	hemos com**ido**	habíamos com**ido**
com**éis**	com**íais**	com**isteis**	habéis com**ido**	habíais com**ido**
com**en**	com**ían**	com**ieron**	han com**ido**	habían com**ido**

vivir
Gerundio: **viv**iendo
Participio: **viv**ido

PRESENTE	PRETÉRITO IMPERFECTO	PRETÉRITO INDEFINIDO	PRETÉRITO PERFECTO	PRETÉRITO PLUSCUAMPERFECTO
viv**o**	viv**ía**	viv**í**	he viv**ido**	había viv**ido**
viv**es**	viv**ías**	viv**iste**	has viv**ido**	habías viv**ido**
viv**e**	viv**ía**	viv**ió**	ha viv**ido**	había viv**ido**
viv**imos**	viv**íamos**	viv**imos**	hemos viv**ido**	habíamos viv**ido**
viv**ís**	viv**íais**	viv**isteis**	habéis viv**ido**	habíais viv**ido**
viv**en**	viv**ían**	viv**ieron**	han viv**ido**	habían viv**ido**

PARTICIPIOS IRREGULARES

abrir	**abierto**
cubrir	**cubierto**
decir	**dicho**
escribir	**escrito**
resolver	**resuelto**
freír	**frito / freído**
hacer	**hecho**
ir	**ido**
morir	**muerto**
poner	**puesto**
romper	**roto**
ver	**visto**
volver	**vuelto**

IMPERATIVO AFIRMATIVO	IMPERATIVO NEGATIVO	FUTURO IMPERFECTO	CONDICIONAL	PRESENTE DE SUBJUNTIVO
		estudiar**é**	estudiar**ía**	estudi**e**
estudi**a**	**no** estudi**es**	estudiar**ás**	estudiar**ías**	estudi**es**
estudi**e**	**no** estudi**e**	estudiar**á**	estudiar**ía**	estudi**e**
		estudiar**emos**	estudiar**íamos**	estudi**emos**
estudi**ad**	**no** estudi**éis**	estudiar**éis**	estudiar**íais**	estudi**éis**
estudi**en**	**no** estudi**en**	estudiar**án**	estudiar**ían**	estudi**en**
		comer**é**	comer**ía**	com**a**
com**e**	**no** com**as**	comer**ás**	comer**ías**	com**as**
com**a**	**no** com**a**	comer**á**	comer**ía**	com**a**
		comer**emos**	comer**íamos**	com**amos**
com**ed**	**no** com**áis**	comer**éis**	comer**íais**	com**áis**
com**an**	**no** com**an**	comer**án**	comer**ían**	com**an**
		vivir**é**	vivir**ía**	viv**a**
viv**e**	**no** viv**as**	vivir**ás**	vivir**ías**	viv**as**
viv**a**	**no** viv**a**	vivir**á**	vivir**ía**	viv**a**
		vivir**emos**	vivir**íamos**	viv**amos**
viv**id**	**no** viv**áis**	vivir**éis**	vivir**íais**	viv**áis**
viv**an**	**no** viv**an**	vivir**án**	vivir**ían**	viv**an**

VERBOS

IRREGULARES

PRESENTE	PRETÉRITO IMPERFECTO	PRETÉRITO INDEFINIDO	IMPERATIVO AFIRMATIVO	IMPERATIVO NEGATIVO	FUTURO IMPERFECTO	CONDICIONAL	PRESENTE DE SUBJUNTIVO
actuar Gerundio: **actuando** Participio: **actuado**							
actúo	actuaba	actué			actuaré	actuaría	actúe
actúas	actuabas	actuaste	actúa	no actúes	actuarás	actuarías	actúes
actúa	actuaba	actuó	actúe	no actúe	actuará	actuaría	actúe
actuamos	actuábamos	actuamos			actuaremos	actuaríamos	actuemos
actuáis	actuabais	actuasteis	actuad	no actuéis	actuaréis	actuaríais	actuéis
actúan	actuaban	actuaron	actúen	no actúen	actuarán	actuarían	actúen
adquirir Gerundio: **adquiriendo** Participio: **adquirido**							
adquiero	adquiría	adquirí			adquiriré	adquiriría	adquiera
adquieres	adquirías	adquiriste	adquiere	no adquieras	adquirirás	adquirirías	adquieras
adquiere	adquiría	adquirió	adquiera	no adquiera	adquirirá	adquiriría	adquiera
adquirimos	adquiríamos	adquirimos			adquiriremos	adquiriríamos	adquiramos
adquirís	adquiríais	adquiristeis	adquirid	no adquiráis	adquiriréis	adquiriríais	adquiráis
adquieren	adquirían	adquirieron	adquieran	no adquieran	adquirirán	adquirirían	adquieran
andar Gerundio: **andando** Participio: **andado**							
ando	andaba	anduve			andaré	andaría	ande
andas	andabas	anduviste	anda	no andes	andarás	andarías	andes
anda	andaba	anduvo	ande	no ande	andará	andaría	ande
andamos	andábamos	anduvimos			andaremos	andaríamos	andemos
andáis	andabais	anduvisteis	andad	no andéis	andaréis	andaríais	andéis
andan	andaban	anduvieron	anden	no anden	andarán	andarían	anden
averiguar Gerundio: **averiguando** Participio: **averiguado**							
averiguo	averiguaba	averigüé			averiguaré	averiguaría	averigüe
averiguas	averiguabas	averiguaste	averigua	no averigües	averiguarás	averiguarías	averigües
averigua	averiguaba	averiguó	averigüe	no averigüe	averiguará	averiguaría	averigüe
averiguamos	averiguábamos	averiguamos			averiguaremos	averiguaríamos	averigüemos
averiguáis	averiguabais	averiguasteis	averiguad	no averigüéis	averiguaréis	averiguaríais	averigüéis
averiguan	averiguaban	averiguaron	averigüen	no averigüen	averiguarán	averiguarían	averigüen
buscar Gerundio: **buscando** Participio: **buscado**							
busco	buscaba	busqué			buscaré	buscaría	busque
buscas	buscabas	buscaste	busca	no busques	buscarás	buscarías	busques
busca	buscaba	buscó	busque	no busque	buscará	buscaría	busque
buscamos	buscábamos	buscamos			buscaremos	buscaríamos	busquemos
buscáis	buscabais	buscasteis	buscad	no busquéis	buscaréis	buscaríais	busquéis
buscan	buscaban	buscaron	busquen	no busquen	buscarán	buscarían	busquen
caer Gerundio: **cayendo** Participio: **caído**							
caigo	caía	caí			caeré	caería	caiga
caes	caías	caíste	cae	no caigas	caerás	caerías	caigas
cae	caía	cayó	caiga	no caiga	caerá	caería	caiga
caemos	caíamos	caímos			caeremos	caeríamos	caigamos
caéis	caíais	caísteis	caed	no caigáis	caeréis	caeríais	caigáis
caen	caían	cayeron	caigan	no caigan	caerán	caerían	caigan
coger Gerundio: **cogiendo** Participio: **cogido**							
cojo	cogía	cogí			cogeré	cogería	coja
coges	cogías	cogiste	coge	no cojas	cogerás	cogerías	cojas
coge	cogía	cogió	coja	no coja	cogerá	cogería	coja
cogemos	cogíamos	cogimos			cogeremos	cogeríamos	cojamos
cogéis	cogíais	cogisteis	coged	no cojáis	cogeréis	cogeríais	cojáis
cogen	cogían	cogieron	cojan	no cojan	cogerán	cogerían	cojan
colgar Gerundio: **colgando** Participio: **colgado**							
cuelgo	colgaba	colgué			colgaré	colgaría	cuelgue
cuelgas	colgabas	colgaste	cuelga	no cuelgues	colgarás	colgarías	cuelgues
cuelga	colgaba	colgó	cuelgue	no cuelgue	colgará	colgaría	cuelgue
colgamos	colgábamos	colgamos			colgaremos	colgaríamos	colguemos
colgáis	colgabais	colgasteis	colgad	no colguéis	colgaréis	colgaríais	colguéis
cuelgan	colgaban	colgaron	cuelguen	no cuelguen	colgarán	colgarían	cuelguen

PRESENTE	PRETÉRITO IMPERFECTO	PRETÉRITO INDEFINIDO	IMPERATIVO AFIRMATIVO	IMPERATIVO NEGATIVO	FUTURO IMPERFECTO	CONDICIONAL	PRESENTE DE SUBJUNTIVO
comenzar Gerundio: **comenzando** Participio: **comenzado**							
comienzo	comenzaba	comencé			comenzaré	comenzaría	comience
comienzas	comenzabas	comenzaste	comienza	no comiences	comenzarás	comenzarías	comiences
comienza	comenzaba	comenzó	comience	no comience	comenzará	comenzaría	comience
comenzamos	comenzábamos	comenzamos			comenzaremos	comenzaríamos	comencemos
comenzáis	comenzabais	comenzasteis	comenzad	no comencéis	comenzaréis	comenzaríais	comencéis
comienzan	comenzaban	comenzaron	comiencen	no comiencen	comenzarán	comenzarían	comiencen
conducir Gerundio: **conduciendo** Participio: **conducido**							
conduzco	conducía	conduje			conduciré	conduciría	conduzca
conduces	conducías	condujiste	conduce	no conduzcas	conducirás	conducirías	conduzcas
conduce	conducía	condujo	conduzca	no conduzca	conducirá	conduciría	conduzca
conducimos	conducíamos	condujimos			conduciremos	conduciríamos	conduzcamos
conducís	conducíais	condujisteis	conducid	no conduzcáis	conduciréis	conduciríais	conduzcáis
conducen	conducían	condujeron	conduzcan	no conduzcan	conducirán	conducirían	conduzcan
conocer Gerundio: **conociendo** Participio: **conocido**							
conozco	conocía	conocí			conoceré	conocería	conozca
conoces	conocías	conociste	conoce	no conozcas	conocerás	conocerías	conozcas
conoce	conocía	conoció	conozca	no conozca	conocerá	conocería	conozca
conocemos	conocíamos	conocimos			conoceremos	conoceríamos	conozcamos
conocéis	conocíais	conocisteis	conoced	no conozcáis	conoceréis	conoceríais	conozcáis
conocen	conocían	conocieron	conozcan	no conozcan	conocerán	conocerían	conozcan
contar Gerundio: **contando** Participio: **contado**							
cuento	contaba	conté			contaré	contaría	cuente
cuentas	contabas	contaste	cuenta	no cuentes	contarás	contarías	cuentes
cuenta	contaba	contó	cuente	no cuente	contará	contaría	cuente
contamos	contábamos	contamos			contaremos	contaríamos	contemos
contáis	contabais	contasteis	contad	no contéis	contaréis	contaríais	contéis
cuentan	contaban	contaron	cuenten	no cuenten	contarán	contarían	cuenten
dar Gerundio: **dando** Participio: **dado**							
doy	daba	di			daré	daría	dé
das	dabas	diste	da	no des	darás	darías	des
da	daba	dio	dé	no dé	dará	daría	dé
damos	dábamos	dimos			daremos	daríamos	demos
dais	dabais	disteis	dad	no deis	daréis	daríais	deis
dan	daban	dieron	den	no den	darán	darían	den
decir Gerundio: **diciendo** Participio: **dicho**							
digo	decía	dije			diré	diría	diga
dices	decías	dijiste	di	no digas	dirás	dirías	digas
dice	decía	dijo	diga	no diga	dirá	diría	diga
decimos	decíamos	dijimos			diremos	diríamos	digamos
decís	decíais	dijisteis	decid	no digáis	diréis	diríais	digáis
dicen	decían	dijeron	digan	no digan	dirán	dirían	digan
dirigir Gerundio: **dirigiendo** Participio: **dirigido**							
dirijo	dirigía	dirigí			dirigiré	dirigiría	dirija
diriges	dirigías	dirigiste	dirige	no dirijas	dirigirás	dirigirías	dirijas
dirige	dirigía	dirigió	dirija	no dirija	dirigirá	dirigiría	dirija
dirigimos	dirigíamos	dirigimos			dirigiremos	dirigiríamos	dirijamos
dirigís	dirigíais	dirigisteis	dirigid	no dirijáis	dirigiréis	dirigiríais	dirijáis
dirigen	dirigían	dirigieron	dirijan	no dirijan	dirigirán	dirigirían	dirijan
distinguir Gerundio: **distinguiendo** Participio: **distinguido**							
distingo	distinguía	distinguí			distinguiré	distinguiría	distinga
distingues	distinguías	distinguiste	distingue	no distingas	distinguirás	distinguirías	distingas
distingue	distinguía	distinguió	distinga	no distinga	distinguirá	distinguiría	distinga
distinguimos	distinguíamos	distinguimos			distinguiremos	distinguiríamos	distingamos
distinguís	distinguíais	distinguisteis	distinguid	no distingáis	distinguiréis	distinguiríais	distingáis
distinguen	distinguían	distinguieron	distingan	no distingan	distinguirán	distinguirían	distingan

PRESENTE	PRETÉRITO IMPERFECTO	PRETÉRITO INDEFINIDO	IMPERATIVO AFIRMATIVO	IMPERATIVO NEGATIVO	FUTURO IMPERFECTO	CONDICIONAL	PRESENTE DE SUBJUNTIVO
dormir Gerundio: **durmiendo** Participio: **dormido**							
duermo	dormía	dormí			dormiré	dormiría	duerma
duermes	dormías	dormiste	duerme	no duermas	dormirás	dormirías	duermas
duerme	dormía	durmió	duerma	no duerma	dormirá	dormiría	duerma
dormimos	dormíamos	dormimos			dormiremos	dormiríamos	durmamos
dormís	dormíais	dormisteis	dormid	no durmáis	dormiréis	dormiríais	durmáis
duermen	dormían	durmieron	duerman	no duerman	dormirán	dormirían	duerman
enviar Gerundio: **enviando** Participio: **enviado**							
envío	enviaba	envié			enviaré	enviaría	envíe
envías	enviabas	enviaste	envía	no envíes	enviarás	enviarías	envíes
envía	enviaba	envió	envíe	no envíe	enviará	enviaría	envíe
enviamos	enviábamos	enviamos			enviaremos	enviaríamos	enviemos
enviáis	enviabais	enviasteis	enviad	no enviéis	enviaréis	enviaríais	enviéis
envían	enviaban	enviaron	envíen	no envíen	enviarán	enviarían	envíen
estar Gerundio: **estando** Participio: **estado**							
estoy	estaba	estuve			estaré	estaría	esté
estás	estabas	estuviste	está	no estés	estarás	estarías	estés
está	estaba	estuvo	esté	no esté	estará	estaría	esté
estamos	estábamos	estuvimos			estaremos	estaríamos	estemos
estáis	estabais	estuvisteis	estad	no estéis	estaréis	estaríais	estéis
están	estaban	estuvieron	estén	no estén	estarán	estarían	estén
fregar Gerundio: **fregando** Participio: **fregado**							
friego	fregaba	fregué			fregaré	fregaría	friegue
friegas	fregabas	fregaste	friega	no friegues	fregarás	fregarías	friegues
friega	fregaba	fregó	friegue	no friegue	fregará	fregaría	friegue
fregamos	fregábamos	fregamos			fregaremos	fregaríamos	freguemos
fregáis	fregabais	fregasteis	fregad	no freguéis	fregaréis	fregaríais	freguéis
friegan	fregaban	fregaron	frieguen	no frieguen	fregarán	fregarían	frieguen
haber Gerundio: **habiendo** Participio: **habido**							
he	había	hube			habré	habría	haya
has	habías	hubiste	he**		habrás	habrías	haya
ha / hay*	había	hubo			habrá	habría	haya
hemos	habíamos	hubimos			habremos	habríamos	hayamos
habéis	habíais	hubisteis			habréis	habríais	hayáis
han	habían	hubieron			habrán	habrían	hayan
hacer Gerundio: **haciendo** Participio: **hecho**							
hago	hacía	hice			haré	haría	haga
haces	hacías	hiciste	haz	no hagas	harás	harías	hagas
hace	hacía	hizo	haga	no haga	hará	haría	haga
hacemos	hacíamos	hicimos			haremos	haríamos	hagamos
hacéis	hacíais	hicisteis	haced	no hagáis	haréis	haríais	hagáis
hacen	hacían	hicieron	hagan	no hagan	harán	harían	hagan
incluir Gerundio: **incluyendo** Participio: **incluido**							
incluyo	incluía	incluí			incluiré	incluiría	incluya
incluyes	incluías	incluiste	incluye	no incluyas	incluirás	incluirías	incluyas
incluye	incluía	incluyó	incluya	no incluya	incluirá	incluiría	incluya
incluimos	incluíamos	incluimos			incluiremos	incluiríamos	incluyamos
incluís	incluíais	incluisteis	incluid	no incluyáis	incluiréis	incluiríais	incluyáis
incluyen	incluían	incluyeron	incluyan	no incluyan	incluirán	incluirían	incluyan
ir Gerundio: **yendo** Participio: **ido**							
voy	iba	fui			iré	iría	vaya
vas	ibas	fuiste	ve	no vayas	irás	irías	vayas
va	iba	fue	vaya	no vaya	irá	iría	vaya
vamos	íbamos	fuimos			iremos	iríamos	vayamos
vais	ibais	fuisteis	id	no vayáis	iréis	iríais	vayáis
van	iban	fueron	vayan	no vayan	irán	irían	vayan

* impersonal / ** única forma en uso

PRESENTE	PRETÉRITO IMPERFECTO	PRETÉRITO INDEFINIDO	IMPERATIVO AFIRMATIVO	IMPERATIVO NEGATIVO	FUTURO IMPERFECTO	CONDICIONAL	PRESENTE DE SUBJUNTIVO
jugar Gerundio: **jugando** Participio: **jugado**							
juego	jugaba	jugué			jugaré	jugaría	juegue
juegas	jugabas	jugaste	juega	no juegues	jugarás	jugarías	juegues
juega	jugaba	jugó	juegue	no juegue	jugará	jugaría	juegue
jugamos	jugábamos	jugamos			jugaremos	jugaríamos	juguemos
jugáis	jugabais	jugasteis	jugad	no juguéis	jugaréis	jugaríais	juguéis
juegan	jugaban	jugaron	jueguen	no jueguen	jugarán	jugarían	jueguen
leer Gerundio: **leyendo** Participio: **leído**							
leo	leía	leí			leeré	leería	lea
lees	leías	leíste	lee	no leas	leerás	leerías	leas
lee	leía	leyó	lea	no lea	leerá	leería	lea
leemos	leíamos	leímos			leeremos	leeríamos	leamos
leéis	leíais	leísteis	leed	no leáis	leeréis	leeríais	leáis
leen	leían	leyeron	lean	no lean	leerán	leerían	lean
llegar Gerundio: **llegando** Participio: **llegado**							
llego	llegaba	llegué			llegaré	llegaría	llegue
llegas	llegabas	llegaste	llega	no llegues	llegarás	llegarías	llegues
llega	llegaba	llegó	llegue	no llegue	llegará	llegaría	llegue
llegamos	llegábamos	llegamos			llegaremos	llegaríamos	lleguemos
llegáis	llegabais	llegasteis	llegad	no lleguéis	llegaréis	llegaríais	lleguéis
llegan	llegaban	llegaron	lleguen	no lleguen	llegarán	llegarían	lleguen
mover Gerundio: **moviendo** Participio: **movido**							
muevo	movía	moví			moveré	movería	mueva
mueves	movías	moviste	mueve	no muevas	moverás	moverías	muevas
mueve	movía	movió	mueva	no mueva	moverá	movería	mueva
movemos	movíamos	movimos			moveremos	moveríamos	movamos
movéis	movíais	movisteis	moved	no mováis	moveréis	moveríais	mováis
mueven	movían	movieron	muevan	no muevan	moverán	moverían	muevan
oír Gerundio: **oyendo** Participio: **oído**							
oigo	oía	oí			oiré	oiría	oiga
oyes	oías	oíste	oye	no oigas	oirás	oirías	oigas
oye	oía	oyó	oiga	no oiga	oirá	oiría	oiga
oímos	oíamos	oímos			oiremos	oiríamos	oigamos
oís	oíais	oísteis	oíd	no oigáis	oiréis	oiríais	oigáis
oyen	oían	oyeron	oigan	no oigan	oirán	oirían	oigan
pensar Gerundio: **pensando** Participio: **pensado**							
pienso	pensaba	pensé			pensaré	pensaría	piense
piensas	pensabas	pensaste	piensa	no pienses	pensarás	pensarías	pienses
piensa	pensaba	pensó	piense	no piense	pensará	pensaría	piense
pensamos	pensábamos	pensamos			pensaremos	pensaríamos	pensemos
pensáis	pensabais	pensasteis	pensad	no penséis	pensaréis	pensaríais	penséis
piensan	pensaban	pensaron	piensen	no piensen	pensarán	pensarían	piensen
perder Gerundio: **perdiendo** Participio: **perdido**							
pierdo	perdía	perdí			perderé	perdería	pierda
pierdes	perdías	perdiste	pierde	no pierdas	perderás	perderías	pierdas
pierde	perdía	perdió	pierda	no pierda	perderá	perdería	pierda
perdemos	perdíamos	perdimos			perderemos	perderíamos	perdamos
perdéis	perdíais	perdisteis	perded	no perdáis	perderéis	perderíais	perdáis
pierden	perdían	perdieron	pierdan	no pierdan	perderán	perderían	pierdan
poder Gerundio: **pudiendo** Participio: **podido**							
puedo	podía	pude			podré	podría	pueda
puedes	podías	pudiste	puede	no puedas	podrás	podrías	puedas
puede	podía	pudo	pueda	no pueda	podrá	podría	pueda
podemos	podíamos	pudimos			podremos	podríamos	podamos
podéis	podíais	pudisteis	poded	no podáis	podréis	podríais	podáis
pueden	podían	pudieron	puedan	no puedan	podrán	podrían	puedan

VERBOS

PRESENTE	PRETÉRITO IMPERFECTO	PRETÉRITO INDEFINIDO	IMPERATIVO AFIRMATIVO	IMPERATIVO NEGATIVO	FUTURO IMPERFECTO	CONDICIONAL	PRESENTE DE SUBJUNTIVO
poner Gerundio: **poniendo** Participio: **puesto**							
pongo pones pone ponemos ponéis ponen	ponía ponías ponía poníamos poníais ponían	puse pusiste puso pusimos pusisteis pusieron	pon ponga poned pongan	no pongas no ponga no pongáis no pongan	pondré pondrás pondrá pondremos pondréis pondrán	pondría pondrías pondría pondríamos pondríais pondrían	ponga pongas ponga pongamos pongáis pongan
querer Gerundio: **queriendo** Participio: **querido**							
quiero quieres quiere queremos queréis quieren	quería querías quería queríamos queríais querían	quise quisiste quiso quisimos quisisteis quisieron	quiere quiera quered quieran	no quieras no quiera no queráis no quieran	querré querrás querrá querremos querréis querrán	querría querrías querría querríamos querríais querrían	quiera quieras quiera queramos queráis quieran
reír Gerundio: **riendo** Participio: **reído**							
río ríes ríe reímos reís ríen	reía reías reía reíamos reíais reían	reí reíste rió reímos reísteis rieron	ríe ría reíd rían	no rías no ría no riáis no rían	reiré reirás reirá reiremos reiréis reirán	reiría reirías reiría reiríamos reiríais reirían	ría rías ría riamos riáis rían
reunir Gerundio: **reuniendo** Participio: **reunido**							
reúno reúnes reúne reunimos reunís reúnen	reunía reunías reunía reuníamos reuníais reunían	reuní reuniste reunió reunimos reunisteis reunieron	reúne reúna reunid reúnan	no reúnas no reúna no reunáis no reúnan	reuniré reunirás reunirá reuniremos reuniréis reunirán	reuniría reunirías reuniría reuniríamos reuniríais reunirían	reúna reúnas reúna reunamos reunáis reúnan
saber Gerundio: **sabiendo** Participio: **sabido**							
sé sabes sabe sabemos sabéis saben	sabía sabías sabía sabíamos sabíais sabían	supe supiste supo supimos supisteis supieron	sabe sepa sabed sepan	no sepas no sepa no sepáis no sepan	sabré sabrás sabrá sabremos sabréis sabrán	sabría sabrías sabría sabríamos sabríais sabrían	sepa sepas sepa sepamos sepáis sepan
salir Gerundio: **saliendo** Participio: **salido**							
salgo sales sale salimos salís salen	salía salías salía salíamos salíais salían	salí saliste salió salimos salisteis salieron	sal salga salid salgan	no salgas no salga no salgáis no salgan	saldré saldrás saldrá saldremos saldréis saldrán	saldría saldrías saldría saldríamos saldríais saldrían	salga salgas salga salgamos salgáis salgan
sentir Gerundio: **sintiendo** Participio: **sentido**							
siento sientes siente sentimos sentís sienten	sentía sentías sentía sentíamos sentíais sentían	sentí sentiste sintió sentimos sentisteis sintieron	siente sienta sentid sientan	no sientas no sienta no sintáis no sientan	sentiré sentirás sentirá sentiremos sentiréis sentirán	sentiría sentirías sentiría sentiríamos sentiríais sentirían	sienta sientas sienta sintamos sintáis sientan
ser Gerundio: **siendo** Participio: **sido**							
soy eres es somos sois son	era eras era éramos erais eran	fui fuiste fue fuimos fuisteis fueron	sé sea sed sean	no seas no sea no seáis no sean	seré serás será seremos seréis serán	sería serías sería seríamos seríais serían	sea seas sea seamos seáis sean

PRESENTE	PRETÉRITO IMPERFECTO	PRETÉRITO INDEFINIDO	IMPERATIVO AFIRMATIVO	IMPERATIVO NEGATIVO	FUTURO IMPERFECTO	CONDICIONAL	PRESENTE DE SUBJUNTIVO
servir Gerundio: **sirviendo** Participio: **servido**							
sirvo	servía	serví			serviré	serviría	sirva
sirves	servías	serviste	sirve	no sirvas	servirás	servirías	sirvas
sirve	servía	sirvió	sirva	no sirva	servirá	serviría	sirva
servimos	servíamos	servimos			serviremos	serviríamos	sirvamos
servís	servíais	servisteis	servid	no sirváis	serviréis	serviríais	sirváis
sirven	servían	sirvieron	sirvan	no sirvan	servirán	servirían	sirvan
tener Gerundio: **teniendo** Participio: **tenido**							
tengo	tenía	tuve			tendré	tendría	tenga
tienes	tenías	tuviste	ten	no tengas	tendrás	tendrías	tengas
tiene	tenía	tuvo	tenga	no tenga	tendrá	tendría	tenga
tenemos	teníamos	tuvimos			tendremos	tendríamos	tengamos
tenéis	teníais	tuvisteis	tened	no tengáis	tendréis	tendríais	tengáis
tienen	tenían	tuvieron	tengan	no tengan	tendrán	tendrían	tengan
traer Gerundio: **trayendo** Participio: **traído**							
traigo	traía	traje			traeré	traería	traiga
traes	traías	trajiste	trae	no traigas	traerás	traerías	traigas
trae	traía	trajo	traiga	no traiga	traerá	traería	traiga
traemos	traíamos	trajimos			traeremos	traeríamos	traigamos
traéis	traíais	trajisteis	traed	no traigáis	traeréis	traeríais	traigáis
traen	traían	trajeron	traigan	no traigan	traerán	traerían	traigan
utilizar Gerundio: **utilizando** Participio: **utilizado**							
utilizo	utilizaba	utilicé			utilizaré	utilizaría	utilice
utilizas	utilizabas	utilizaste	utiliza	no utilices	utilizarás	utilizarías	utilices
utiliza	utilizaba	utilizó	utilice	no utilice	utilizará	utilizaría	utilice
utilizamos	utilizábamos	utilizamos			utilizaremos	utilizaríamos	utilicemos
utilizáis	utilizabais	utilizasteis	utilizad	no utilicéis	utilizaréis	utilizaríais	utilicéis
utilizan	utilizaban	utilizaron	utilicen	no utilicen	utilizarán	utilizarían	utilicen
valer Gerundio: **valiendo** Participio: **valido**							
valgo	valía	valí			valdré	valdría	valga
vales	valías	valiste	vale	no valgas	valdrás	valdrías	valgas
vale	valía	valió	valga	no valga	valdrá	valdría	valga
valemos	valíamos	valimos			valdremos	valdríamos	valgamos
valéis	valíais	valisteis	valed	no valgáis	valdréis	valdríais	valgáis
valen	valían	valieron	valgan	no valgan	valdrán	valdrían	valgan
vencer Gerundio: **venciendo** Participio: **vencido**							
venzo	vencía	vencí			venceré	vencería	venza
vences	vencías	venciste	vence	no venzas	vencerás	vencerías	venzas
vence	vencía	venció	venza	no venza	vencerá	vencería	venza
vencemos	vencíamos	vencimos			venceremos	venceríamos	venzamos
vencéis	vencíais	vencisteis	venced	no venzáis	venceréis	venceríais	venzáis
vencen	vencían	vencieron	venzan	no venzan	vencerán	vencerían	venzan
venir Gerundio: **viniendo** Participio: **venido**							
vengo	venía	vine			vendré	vendría	venga
vienes	venías	viniste	ven	no vengas	vendrás	vendrías	vengas
viene	venía	vino	venga	no venga	vendrá	vendría	venga
venimos	veníamos	vinimos			vendremos	vendríamos	vengamos
venís	veníais	vinisteis	venid	no vengáis	vendréis	vendríais	vengáis
vienen	venían	vinieron	vengan	no vengan	vendrán	vendrían	vengan
ver Gerundio: **viendo** Participio: **visto**							
veo	veía	vi			veré	vería	vea
ves	veías	viste	ve	no veas	verás	verías	veas
ve	veía	vio	vea	no vea	verá	vería	vea
vemos	veíamos	vimos			veremos	veríamos	veamos
veis	veíais	visteis	ved	no veáis	veréis	veríais	veáis
ven	veían	vieron	vean	no vean	verán	verían	vean

INFORMACIÓN ÚTIL

MAR CANTÁBRICO
FRANCIA
ASTURIAS
PAÍS VASCO
La Coruña / A Coruña
Oviedo
Santander
VIZCAYA
San Sebastián / Donostia
LUGO
Lugo
A CORUÑA
Bilbao / Bilbo
Santiago de Compostela
CANTABRIA
GUIPÚZCOA
GALICIA
Vitoria / Gasteiz
ÁLAVA
Pamplona / Iruña
ANDORRA
LEÓN
Pontevedra
León
Burgos
NAVARRA
HUESCA
Orense / Ourense
PALENCIA
Logroño
GIRONA
PONTEVEDRA
Huesca
OURENSE
Palencia
BURGOS
LA RIOJA
LLEIDA
Gerona / Girona
CATALUÑA
CASTILLA Y LEÓN
Soria
Zaragoza
Lérida / Lleida
ZAMORA
BARCELONA
Zamora
Valladolid
SORIA
ZARAGOZA
Barcelona
VALLADOLID
SEGOVIA
ARAGÓN
Tarragona
Salamanca
Segovia
GUADALAJARA
TARRAGONA
Guadalajara
TERUEL
SALAMANCA
Ávila
Teruel
Madrid
ÁVILA
Menorca
MADRID
CASTELLÓN
Cuenca
PORTUGAL
CÁCERES
Castellón / Castelló
ISLAS BALEARES
Toledo
CUENCA
TOLEDO
Mallorca
Cáceres
Valencia / València
Palma de Mallorca
CASTILLA-LA MANCHA
VALENCIA
EXTREMADURA
COMUNIDAD VALENCIANA
Ibiza / Eivissa
Ciudad Real
Albacete
Badajoz
Mérida
Formentera
CIUDAD REAL
ALBACETE
ALICANTE
BADAJOZ
Alicante / Alacant
CÓRDOBA
JAÉN
Córdoba
Murcia
SEVILLA
HUELVA
Jaén
Sevilla
MURCIA
GRANADA
Huelva
ANDALUCÍA
ALMERÍA
Granada
MAR MEDITERRÁNEO
Almería
MÁLAGA
OCÉANO ATLÁNTICO
Cádiz
Málaga
CÁDIZ
Ceuta
Melilla
CANARIAS
STA. CRUZ DE TENERIFE
Lanzarote
La Palma
Sta. Cruz de Tenerife
LAS PALMAS DE GRAN CANARIA
Gran Canaria
La Gomera
Fuerteventura
Tenerife
Las Palmas de Gran Canaria
El Hierro

¡BIENVENIDO A ESPAÑA!

Lee esta información útil para tu estancia en España.

Población e idiomas

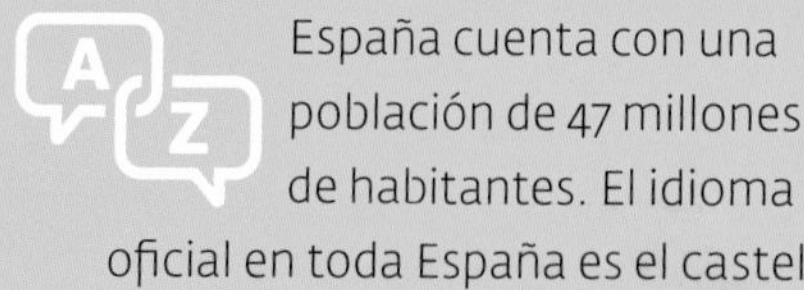

España cuenta con una población de 47 millones de habitantes. El idioma oficial en toda España es el castellano o español. Son oficiales también, en sus respectivas comunidades autónomas: el catalán y valenciano (Cataluña, Islas Baleares y Comunidad Valenciana), el gallego (Galicia) y el vasco o euskera (País Vasco).

Horarios comerciales

Los comercios suelen abrir de lunes a viernes entre las 9.30 / 10 h hasta las 13:30 / 14 h y de 16:30 / 17 hasta las 20 / 20:30 h. Generalmente cierran los sábados por la tarde y los domingos. En las zonas turísticas y en el centro de las grandes ciudades no suelen cerrar hasta las 22 h y tampoco cierran a mediodía.Los restaurantes sirven comidas normalmente desde las 13:30 hasta las 16 h y cenas desde las 20:30 a las 23:30 h, aunque en los meses de verano suelen ser más flexibles en sus horarios. Los bares y cafeterías abren todo el día. Los bares de copas están abiertos hasta las 3 h de la madrugada. Las discotecas suelen estar abiertas desde medianoche hasta las 5 / 6 h de la mañana

Tasas e impuestos

El IVA (Impuesto sobre el Valor Añadido) grava la mayoría de artículos y servicios. Es normalmente de un 21 % sobre el valor del producto. En el precio de las etiquetas en las tiendas ya está incluido el IVA.

Salud

En caso de urgencias médicas se puede llamar al 061. Sin embargo, este número puede cambiar de una comunidad a otra.
Es recomendable viajar con un seguro médico a pesar de que existen acuerdos para asistencia sanitaria gratuita con la mayoría de los países miembros de la Unión Europea.
Las farmacias están abiertas de 9:30 a 14 h y de 16:30 a 20 h. Fuera de ese horario funcionan las farmacias de guardia, que están abiertas las 24 horas del día. Todas las farmacias exhiben la lista de las farmacias que están de guardia e indican la más cercana. La lista se publica también en los periódicos e internet.

Policía y asistencia al ciudadano

En la mayoría de las comunidades, el número de emergencia para la Policía Nacional es el 091, y para la policía municipal, el 092. Para cualquier tipo de emergencia existe un número de asistencia al ciudadano: es el 112.

Webs de interés

renfe.com (ferrocarriles)
aena.es (Aeropuertos Españoles y Navegación Aérea)
dgt.es (Dirección General de Tráfico)
correos.es (Correos)
eltiempo.es (información meteorológica)
rae.es (Real Academia Española de la Lengua)

Transporte

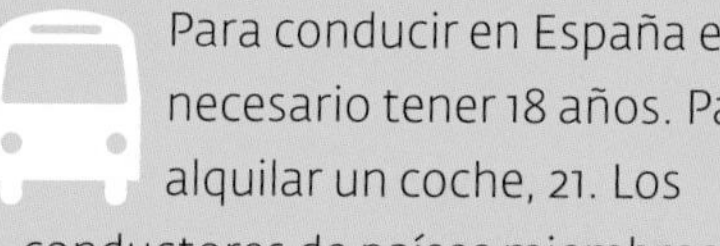

Para conducir en España es necesario tener 18 años. Para alquilar un coche, 21. Los conductores de países miembros de la UE, Suiza, Noruega, Islandia y Liechtenstein solo necesitan llevar el carné de conducir de su país.
Los conductores de otros países necesitan un permiso internacional de conducción.
Los aeropuertos con un mayor número de vuelos diarios son el de Barajas (en Madrid), el de El Prat (en Barcelona), el de Palma de Mallorca y el de Málaga. Iberia, Vueling y Air Europa son compañías que ofrecen vuelos entre ciudades españolas.
Renfe es la compañía nacional de trenes en España. El AVE es el tren de alta velocidad y conecta las principales ciudades (Barcelona, Sevilla y Valencia) con Madrid.

Comunicaciones

Para llamar a España desde otro país, hay que marcar +34 (código de España) y, a continuación, un número de teléfono de 9 cifras. Para hacer llamadas internacionales desde España es necesario marcar 00 y, a continuación, el código del país y el número de teléfono. Para realizar llamadas dentro de España solo hay que marcar el número sin ningún prefijo. Este número siempre tiene 9 cifras, sea un teléfono fijo o un móvil.

EL CÓMIC DE AULA

UNIDAD 1

UNIDAD 2

UNIDAD 3

UNIDAD 4

EL ESPAÑOL QUE NO SE ENSEÑA EN CLASE

Fíjate en estas situaciones. ¿Te ocurren cosas parecidas?

UNIDAD 5

UNIDAD 6

UNIDAD 7

UNIDAD 8

Las expresiones en negrita se utilizan en registros coloquiales. Para aprender a usarlas correctamente, comenta con tu profesor en qué contextos son apropiadas.

SI QUIERES CONSOLIDAR EL NIVEL **B1**, TE RECOMENDAMOS:

PREPARACIÓN PARA EL DELE

Las claves del nuevo DELE B1

SI QUIERES EMPEZAR CON EL NIVEL **B2**, TE RECOMENDAMOS:

PREPARACIÓN PARA EL DELE

Las claves del nuevo DELE B2

Y ADEMÁS:

NUEVA APP DE GRAMÁTICA ESPAÑOLA PARA IPAD Y TABLETAS ANDROID

http://appdegramatica.difusion.com

Mejora fácilmente tu español

Gramática Española es la *app* que te ayudará a dominar la gramática española

Disponible en el App Store

DISPONIBLE EN Google play

gramática española